LA VÉRITÉ
SUR LA
MARIJUANA

JOANNE BAUM, Ph.D.

LA VÉRITÉ
SUR LA
MARIJUANA

DIX ACCROS DE LA MARI PARLENT DE LEUR VÉCU

Traduit de l'américain
par Suzie Rochefort, psychologue
et Jean Philippe Beaudin

HAZELDEN®
SCIENCES ET *CULTURE*
Montréal, Canada

L'édition originale de cet ouvrage a été publiée sous le titre
THE TRUTH ABOUT POT
Ten Recovering Marijuana Users Share Their Personal Stories
© 1996 Hazelden Foundation
ISBN 1-56246-124-9

Conception de la couverture: ZAPP

Tous droits réservés pour l'édition française
© 2000, Éditions Sciences et Culture Inc.

Dépôt légal: 4e trimestre 2000
Bibliothèque nationale du Québec
Bibliothèque nationale du Canada

ISBN 2-89092-272-3

Éditions Sciences et Culture
5090, rue de Bellechasse
Montréal (Québec) Canada H1T 2A2
Tél.: (514) 253-0403 - Téléc.: (514) 256-5078

Internet: http://www.sciences-culture.qc.ca
E-mail: admin@sciences-culture.qc.ca

Nous reconnaissons l'aide financière du gouvernement du Canada par l'entremise du Programme d'Aide au Développement de l'Industrie de l'Édition pour nos activités d'édition.

IMPRIMÉ AU CANADA

*Ce livre est dédié
à tous ceux et celles qui désirent en savoir plus
sur la dépendance aux drogues chimiques
et la marijuana.*

Note de Éditions Sciences et Culture

La recouvrance

Nous avons traduit par « recouvrance » le mot américain *recovery*. Il nous est apparu nécessaire de le définir pour ceux qui ne sont pas familiers avec les divers programmes Douze Étapes dans les groupes de soutien.

Dans les livres en langue anglaise, on rencontre fréquemment l'expression « la recouvrance est un processus » (*recovery is a process*). La lecture d'ouvrages sur le sujet nous a permis de préciser tout le champ notionnel du mot « recouvrance ».

La recouvrance est un lent et graduel processus de prise de conscience, d'acceptation et de changement qui amène une personne à rétablir sa santé physique, à équilibrer sa vie émotionnelle, à réhabiliter son état mental et à reconnaître l'existence d'un pouvoir spirituel.

L'individu, en se joignant à un groupe de soutien, adopte progressivement les principes d'un Programme Douze Étapes pour restaurer sa dignité humaine et redevenir un être humain entier.

Note de Hazelden

Hazelden Educational Materials publie divers documents sur la dépendance chimique et autres domaines connexes. Nos publications ne représentent pas nécessairement l'opinion officielle de *Hazelden* ou de ses programmes, ni ne prétendent parler officiellement au nom d'aucune des organisations qui utilisent les Douze Étapes.

TABLE DES MATIÈRES

Préface de l'édition américaine 9

Remerciements 13

Chapitre un : Un regard rigoureux et lucide
    sur la marijuana 17

Chapitre deux : Le témoignage de Désirée 43

Chapitre trois : Le témoignage de Justin 61

Chapitre quatre : Le témoignage de Hubert 73

Chapitre cinq : Le témoignage de Aman 89

Chapitre six : Le témoignage de Daniel 105

Chapitre sept : Le témoignage de Gaël 127

Chapitre huit : Le témoignage de Élise 147

Chapitre neuf : Le témoignage de Philippe 183

Chapitre dix : Le témoignage de Magali 207

Chapitre onze : Le témoignage de Judith 229

Chapitre douze : Sommaire et Conclusion 245

Annexes

Avez-vous un problème avec la marijuana ?.. 277

Douze questions pour vous aider 279

Préface de l'édition américaine

La publication du livre de Joanne Baum ne pouvait arriver à un moment plus important. Après des années de déclin, voici que la consommation de marijuana subit, aux États-Unis, un regain de popularité pour le moins alarmant. En 1992, on a constaté, pour la première fois depuis 1979, que le nombre de personnes qui fumaient de la marijuana était à la hausse. En 1994, le National Household Survey on Drug Abuse publiait une étude menée par le National Institute on Drug Abuse (NIDA) ; ce document spécifiait que, pour la seule année de 1994, 7,3 % des adolescents — soit quelque 1,3 million d'individus âgés entre 12 et 17 ans — avaient, aux États-Unis, fumé de la marijuana. Ces données représentaient une augmentation de 4 % par rapport à celles recueillies par le NIDA en 1992 et tout laissait prévoir que les chiffres de 1996, que l'on s'apprêtait alors à publier, feraient état d'une nouvelle hausse.

Coordonnateur du Programme national de contrôle de la drogue mis en place par l'administration Clinton, Lee Brown rapportait que la marijuana comptait pour 81 % du total de toutes les drogues consommées illégalement aux États-Unis. Ce chiffre est, selon lui, révélateur de la popularité croissante de la mari auprès des adolescents américains, mais il révèle aussi le fait que cette clientèle considère de plus en plus que cette drogue est inoffensive. Selon Lee Brown, en effet, seulement 42 % des adolescents américains croient qu'il est dangereux de consommer de la marijuana.

Les adolescents ne sont pas conscients que la marijuana est une drogue périlleuse parce que ceux et celles qui leur servent de modèles, en l'occurrence leurs parents et la plupart des aînés de leur entourage, estiment que son usage ne comporte aucun danger particulier. On a pourtant démontré sans l'ombre d'un doute que la marijuana était une substance qu'il est risqué de consommer, mais les tenants et les opposants de l'usage de cette drogue revendiquent des positions tellement extrêmes que leur attitude vient embrouiller la réalité humaine et clinique des véritables enjeux.

La vérité est que la marijuana est une drogue dangereuse et débilitante. À l'instar de la nicotine, ses effets nuisibles mettent beaucoup de temps à se manifester dans l'organisme qui ne s'en débarrasse pas aisément. La nature même de cette drogue encourage une certaine forme de déni dont l'expression est à la fois subtile et insidieuse. Les individus qui ont fait un usage chronique de la marijuana ne seront pleinement conscients des dommages de cette drogue sur leur vie qu'après plusieurs années d'abstinence et de cheminement en recouvrance.

Le livre de la docteure Baum aborde la question sur le plan humain. Il illustre concrètement les méfaits de la marijuana sur la vie de ceux et celles qui en abusent. Il se présente comme une série d'études de cas rédigées à partir d'interviews menées par la docteure Baum : passablement fouillé, l'ensemble fait graduellement ressortir les effets subtils et tenaces de cette drogue sur ceux et celles qui, au cours de leur vie, ont connu, à des degrés divers, une certaine forme de dépendance au *cannabis*.

Les anciennes victimes de cette dépendance, interviewées par la docteure Baum, rendent un immense service à ceux et celles qui consomment encore de la marijuana. Elles décrivent avec franchise cette expérience, qui a affecté tous les domaines de leur vie.

Dans le dernier chapitre du livre, un commentaire de la docteure Baum jette une lumière particulière sur les impacts de la marijuana chez ces individus. Elle nous donne son point de vue clinique et son interprétation des témoignages présentés précédemment.

Aux États-Unis, le nombre de personnes qui ont succombé aux méfaits du tabagisme a franchi le cap des 400 000 par année, et ce, en dépit de tous les efforts préventifs déployés par les programmes de santé publique. Je frémis à l'idée que, si jamais on légalise la marijuana, sa mise en marché serait probablement confiée aux compagnies de tabac. Fidèles à elles-mêmes, ces entreprises opteraient sans nul doute pour des campagnes de commercialisation percutantes visant à séduire une clientèle adolescente. Pour contrer ce danger qui n'est que trop réel, nous avons besoin de plus de livres comme celui de Joanne Baum qui font état d'une impartiale vérité sur l'usage de la marijuana et de ses effets néfastes dans la vie des êtres humains.

David E. Smith, M.D.
Fondateur et directeur,
Haight Ashbury Free Medical Clinics

Remerciements

Je ne saurais remercier assez Léo et Arvilla Berger qui étaient convaincus de la nécessité de ce projet et qui ont cru en mes capacités de le mener à terme. N'eût été de leur généreux soutien, ce livre n'aurait jamais vu le jour.

Je voudrais exprimer en outre mon appréciation et ma gratitude aux dix personnes qui, dans ce livre, ont accepté de témoigner de leur vécu. Elles m'ont aidée à épargner aux lecteurs une analyse purement clinique de la marijuana pour leur offrir plutôt un portrait honnête et sincère, un portrait complet et humainement accessible à tous. Je les remercie de m'avoir secondée dans la réalisation de cet objectif. Pour préserver leur anonymat, j'ai pris la liberté de changer le nom des personnes, les lieux où se déroule leur histoire et, à l'occasion, leur domaine d'activités professionnelles.

Je voudrais également remercier l'Institut Johnson qui, comprenant la nécessité de ce livre, m'a soutenue dans ma tâche et n'a ménagé aucun effort pour que ce projet devienne une réalité.

Mon époux m'a lui aussi prodigué généreusement aide et conseils pour la rédaction et la correction du manuscrit qui ont occupé bon nombre de nos soirées et de nos week-ends. Son expérience professionnelle et sa compréhension du problème ont nourri et soutenu mon expérience clinique et, bien sûr, tout le travail rédactionnel.

Mon fils est content d'avoir une maman qui écrit. Il a lui-même pris l'habitude de concocter ses propres livres en brochant ensemble quelques feuilles qu'il barbouille de couleurs. Publier un livre est, de toute évidence, beaucoup plus facile pour lui que pour moi. Il m'a été une source constante d'inspiration.

Je voudrais également remercier mes parents qui, les premiers, ont éveillé en moi le désir de raconter des histoires. Au cours de mon enfance, ils me faisaient la lecture ou me narraient des contes ; je n'ai pas oublié la magie qui me semblait alors émaner de l'écriture.

Plusieurs de mes amis et collègues de travail ont aussi encouragé mes projets d'écriture et, plus spécifiquement, la rédaction de ce livre. Je ne peux pas les nommer de manière exhaustive ; qu'il me soit cependant permis de remercier plus particulièrement les docteurs Carole Campana, Rick Seymour et David Smith pour les paroles d'encouragement, de support et de réconfort qu'ils m'ont prodiguées.

L'initiative de ce livre revient à tous ceux et celles qui ont sollicité mes conseils professionnels en se demandant si leur consommation de marijuana pouvait avoir quelque rapport avec les problèmes qu'ils ou qu'elles éprouvaient. Elle revient aussi aux personnes qui sont un jour entrées dans mon bureau convaincues que la marijuana n'avait rien à voir avec leur difficulté de vivre et qui, après un certain temps, acceptaient de reconsidérer leur position. Nous avons appris ensemble. Il y a eu aussi ceux et celles qui ont carrément refusé de remettre en question leur consommation de marijuana et ne sont jamais parvenus à se libérer du joug de cette drogue. Le jour où j'ai compris à quel point il pouvait être difficile de renoncer à une drogue pourtant réputée bénigne, une idée a germé dans mon esprit. Cette idée a pris la forme d'un livre qui ferait état d'histoires inspirantes assorties de quelques données factuelles peu connues. Voici le livre qui a poussé à partir du germe d'une idée.

Au moment où je mettais la dernière main à la version finale de mon manuscrit, j'ai reçu un coup de téléphone : une vieille connaissance me faisait part de la mort d'un ami cher et proche qui venait de succomber à une crise cardiaque. Il appartenait à cette catégorie de gens qui ne purent jamais accéder pleinement à la recouvrance. Il consomma de la drogue jusqu'à la fin. Cet événement me fit prendre pleinement conscience de la douleur qu'occasionne cette maladie à ceux et celles qui se soucient du bien-être des personnes qui leur sont chères.

Cet ami avait, sept ans auparavant, subi un traitement pour mettre fin à sa consommation d'alcool et de cocaïne, les seules drogues qui, croyait-il, étaient associées à son problème. Il ne pouvait tout simplement pas croire les professionnels qui affirmaient que sa dépendance avait trait aux substances chimiques et que la marijuana était, pour une large part, responsable de sa dépendance. À la fin du traitement, mon ami se disait qu'il pouvait occasionnellement fumer de la mari ou boire une bière pourvu qu'il ne consomme jamais plus de drogues « dures ». À l'instar de plusieurs autres personnes, j'ai essayé de le mettre en garde contre cette pratique, mais il n'a jamais voulu entendre raison. Il avait résolu de vivre sa vie comme il l'entendait — ce qu'il fit jusqu'à sa mort survenue prématurément. J'éprouve de la tristesse pour ses enfants.

Jack M., puisses-tu reposer en paix.

Chapitre Un

Un regard rigoureux et lucide sur la marijuana

Après l'alcool, la marijuana est aujourd'hui la drogue la plus populaire aux États-Unis. En fait, les personnes qui en fument sont tellement nombreuses qu'il semblerait normal de légitimer et de tolérer sa présence dans la vie des gens. Pourtant, même si on en use avec modération, la marijuana comporte des dangers. Ce fait, pour d'obscures raisons, reste ignoré des accros à cette drogue qui croient consommer un produit relativement inoffensif. Ce que notre société pense de la marijuana relève du mythe : c'est une drogue qui ne fait de mal à personne, qui amuse, qui donne du piquant aux loisirs. Ce mythe alimente le déni si caractéristique chez ceux qui connaissent des problèmes avec la marijuana. Pour bien comprendre la situation, il nous faut jeter un regard rigoureusement lucide sur le phénomène de la marijuana.

L'historique de la mari comporte des phases intéressantes. Au début des années soixante, elle fait son apparition dans les lieux publics. Vers la fin de la décennie, des hippies au style « bariolé » en fument. Ils voyaient le « pot » comme une herbe, un produit naturel. On pouvait la consommer sans danger. Ses effets, disait-on, lèvent les inhibitions. Avec la mari, on était moins timides, on discutait ferme et on réglait tous les maux de l'humanité. « Se battre contre le système » était, semble-t-il, beaucoup plus facile quand on planait.

Vint la génération du début des années soixante-dix, la génération des « complètement *sautés* ». On discutait toujours aussi fermement du sort du monde, mais on était moins portés que la génération précédente à l'action politique.

Au cours des années quatre-vingt, les fumeurs de mari se recrutèrent surtout parmi les « rad », une génération « déroutante » qui se désintéressa complètement de la philosophie, des stratégies et de l'action politique. Ces gens fumaient de la mari pour la seule ivresse qu'elle procurait. Les enfants des années quatre-vingt-dix sont ceux des hippies et des « complètement sautés » des années soixante-dix. Avec son style « Hé, Man », l'actuelle génération des fumeurs de marijuana est à la recherche de nouvelles manières de ressentir, de jouir et de s'amuser en groupe. Mais ces personnes n'ont cependant pas conscience que la mari disponible aujourd'hui est beaucoup plus nocive que celle que l'on consommait au cours des années soixante. Elles ne savent donc pas que l'ivresse qu'elle procure de nos jours est d'une nature très différente de celle d'il y a quelque trente ans.

Pourtant, le mythe est tenace. Quand on leur demande quel est le principal effet secondaire de la consommation de marijuana, la plupart parlent d'un petit creux, d'un besoin irrésistible de grignoter quelque chose. Ceux qui surveillent leur poids en sont passablement contrariés, mais ceux qui n'ont cure de ce détail trouvent la chose plutôt amusante. La majorité de ceux et celles qui fument de la marijuana se considèrent comme des citoyens et citoyennes respectueux des lois ; ils ne se perçoivent certainement pas comme des criminels. Ils préfèrent, en fait, « ignorer » le fait que la mari tombe directement sous la loi des narcotiques. Presque toutes les personnes qui fument de la mari soutiennent que l'état d'ivresse qu'elle procure compense largement les risques mineurs qu'elle leur fait encourir. « Pourquoi donc tout ce boucan ? », disent-ils, « on fonctionne normalement, on garde notre emploi. »

Une bonne partie du problème provient du fait que l'on peut développer une dépendance à la marijuana de la même façon que l'on peut développer une dépendance à l'alcool, à la cocaïne, à l'héroïne et au valium (ainsi qu'à tout autre produit chimique qui altère la pensée). De plus, — et l'on minimise trop souvent l'importance de cet aspect du problème — la toxicité de la mari s'étant considérablement accrue avec les années, les effets secondaires qu'elle occasionne se sont donc, eux aussi, amplifiés. Le principe actif de la mari infiltre tous les organes du corps humain. Il est, par exemple, beaucoup plus nocif pour les poumons et le système respiratoire que ne l'est le goudron des cigarettes. Il affecte les émotions, les humeurs, la conduite, la productivité, les attitudes et la pensée. La plupart des fumeurs de mari soutiennent que ces inconvénients sont mineurs. Mais le sont-ils vraiment ?

Des effets secondaires sournois

Le mythe qu'entretient la société relativement à l'usage de la mari et l'ignorance dans laquelle elle choisit de se cantonner ne sont que l'un des aspects de la question ; d'autres raisons expliquent pourquoi il est particulièrement difficile de détecter — et de solutionner — les problèmes qu'occasionne l'habitude de cette drogue dans la vie des gens. Au chapitre de ce que j'appelle « les effets

secondaires sournois » de la mari, j'aimerais mentionner :
a) une certaine forme de léthargie, b) une capacité réduite de concentration, c) un manque de motivation,
d) une tendance aux états dépressifs, e) une tendance à
des crises de paranoïa, f) un sentiment d'isolement et
g) plusieurs autres désordres physiologiques. Ces sept
critères expliquent pourquoi il est plus difficile de rester
loin de la mari que de toute autre drogue dite « dure »,
plus débilitante.

Avez-vous connu quelqu'un qui, sans jamais cesser
de consommer de mari, est parvenu à s'épanouir pleinement ? Connaissez-vous quelqu'un dont les émotions sont
atrophiées parce qu'il préfère consommer et planer plutôt que de faire face à ses problèmes émotionnels ? Les
accros à la mari considèrent sans doute qu'elle les aide à
surmonter leurs problèmes et qu'ils peuvent compter sur
elle comme une amie apaisante et sûre. S'il ne leur vient
jamais à l'idée qu'il existe peut-être d'autres façons de
faire dans la vie, c'est parce que la mari est toujours là,
disponible. Ils n'ont pas encore compris que plus ils consomment de la drogue pour affronter leurs sentiments
ou la complexité de certaines situations, plus elle s'im-
pose comme la seule voie, simplement parce qu'ils ne savent pas comment se prendre en main ou faire face à
leurs émotions.

Dans un éclair de lucidité, certaines personnes re-
mettent parfois en doute l'idée que fumer de la mari engendre plus de mal-être que de bien-être, mais ces furtives
prises de conscience ont quelque chose de trop dérangeant : on n'accepte plus de reconnaître la véracité des
doutes qui assaillent la conscience parce qu'on ne sait
tout simplement pas comment prendre les choses en main.
Le jour où on a pris l'habitude de la marijuana, on a com-

mencé à *ploguer* ses émotions en ignorant le fait que cette drogue a le pouvoir de déformer notre pensée.

Les adeptes de la mari préfèrent donc croire que, d'une manière générale, ils sont plutôt bien en contrôle de leur vie. Et s'il leur arrive de se demander si la marijuana peut être à l'origine de la lutte qui les oppose parfois à leur conscience, ils répondent vite : « Mais non voyons, ça peut pas être si grave, c'est juste de la mari ! » Mais pourquoi donc certaines situations leur inspirent-elles tant « de douleur, de confusion, de contrariété, d'embarras, de déprime, de peur » ?

Le prix de la mari est relativement peu élevé. Ceux qui en fument souvent n'ont sans doute jamais été obligés d'hypothéquer leur maison pour s'en procurer. Mais le fait qu'ils en consomment assidûment risque sérieusement d'hypothéquer leur avenir parce qu'elle mine leur capacité de concentration et leur productivité au travail. Plusieurs d'entre eux risquent alors d'avoir de la difficulté à se trouver un nouveau travail parce qu'ils ne parviennent plus à se motiver suffisamment pour passer à l'action. Il se pourrait même que la marge de manœuvre de certains soit réduite au point de les empêcher, un mois sur deux, de faire face à quelques-unes de leurs obligations financières. Mais pourquoi s'en formaliseraient-ils ? Les problèmes ne s'envolent-ils pas dans la fumée de quelques bouffées de marijuana ?

Ce scénario se joue avec tant de subtilité qu'il est facile de s'y méprendre et de porter le blâme sur autre chose plutôt que sur la drogue. Quand ils sont confrontés à des problèmes, la plupart des fumeurs de mari croient dur comme fer que la drogue ne peut que les aider à surmonter les tempêtes de la vie. N'a-t-elle pas le pouvoir de les calmer, de leur remonter le moral, de simplifier les choses ? Mais avec le temps, quand la réalité s'obstine à contrer nos attentes, et ce, en dépit du fait qu'on fume régulièrement de la mari, c'est probablement parce qu'on refuse d'admettre qu'on a un problème de drogue.

Une femme m'a un jour confié qu'elle pouvait conduire sans danger quand elle était sous l'effet de la marijuana :

À l'époque, j'étais sûre — absolument sûre ! — qu'il était préférable que je fume un peu de mari avant de conduire mon auto. Rien ni personne n'aurait pu me persuader du contraire. J'étais absolument convaincue que mes sens percevaient la réalité avec plus d'acuité, que ma concentration augmentait d'intensité, que mes réflexes gagnaient en précision. Mais aujourd'hui, grâce à ce que j'ai lu sur les effets de la marijuana, j'ai découvert que ma pseudo-certitude était le fruit d'une perception altérée de la réalité, attribuable à mon habitude de la mari. Le rapport de recherche que je viens de lire conclut que la marijuana est loin d'améliorer notre perception. Elle dilue, au contraire, la précision de nos gestes et ralentit le temps de réponse, tant sur le plan physiologique que sur le plan cognitif. Je me trompais sur toute la ligne quand je croyais que mes réactions gagnaient en précision après avoir fumé ! En fait, mes perceptions ne correspondaient pas à la réalité. Quand je pense à toutes les fois où j'ai fumé un « joint » dans mon véhicule avant de le mettre en marche, je dois reconnaître que c'est un vrai miracle de n'avoir jamais eu d'accident.

La dépendance à la marijuana

Beaucoup de gens fument occasionnellement de la mari et ne développeront pas de dépendance à cette drogue. Nous ne pouvons nier ce fait, pas plus que nous ne saurions nier le fait que beaucoup de gens boivent de l'alcool sans jamais subir les affres de l'alcoolisme. Mais est-ce que cela implique nécessairement que l'alcool est absolument sans danger ? Il est clair que ce n'est pas vrai pour bon nombre de personnes. La mari, par contre, a le pouvoir de s'infiltrer dans notre vie sans en avoir l'air ; il est facile de nier ou d'ignorer ses conséquences insidieuses et difficilement discernables. Paru en 1988, le rapport Oliwenstein signalait que 10 % des personnes qui fument de la mari ne parviennent pas à contrôler leur consommation. N'est-il pas intéressant de constater également que 20 % des personnes qui boivent de l'alcool ne parviennent pas à contrôler leur consommation — ce qui en fait des alcooliques. D'autre part, ce pourcentage de 20 % est le même pour ceux qui ont de la difficulté à contrôler leur consommation de cocaïne : 20 % de ceux qui s'adonnent à cette drogue deviennent des cocaïnomanes. Si nous disposions de renseignements et de statistiques plus exactes sur la marijuana, ne se pourrait-il pas que les 10 % avancés par Oliwenstein, en 1988, doivent être revus à la hausse ?

Il y a quelques années, à San Francisco, j'ai eu l'occasion de participer à une émission radiophonique de lignes ouvertes. Ce n'était pas la première fois qu'on sollicitait ma participation à cette émission dont le thème principal était toujours la cocaïne. Mais, ce soir-là, j'ai proposé la marijuana comme principal sujet de discus-

sion. L'animateur a tout de suite protesté : « Mais ça n'in-
téressera personne ! » Je lui ai répondu : « C'est possible,
mais je ne le pense pas. » Nous vivions un peu d'appré-
hension quand l'émission est entrée en ondes.

J'ai commencé en disant que la mari était beaucoup
plus puissante aujourd'hui qu'autrefois. J'ai ensuite cité
le témoignage de gens en difficulté qui prenaient peu à
peu conscience que les problèmes qu'ils éprouvaient
aujourd'hui étaient attribuables au fait qu'ils avaient
fumé de la mari pendant des années. J'ai parlé aussi de
tous ces gens qui sont un jour entrés dans mon bureau
pour me confier, sur un ton inquiet et réservé, qu'ils
croyaient que quelque chose ne tournait pas rond dans
leur vie. Ils me consultaient parce que leur épouse leur
répétait qu'ils étaient irresponsables, parce que leur associé leur redisait sans cesse de ralentir, parce qu'on les
exhortait « à faire quelque chose ». Il ne venait à l'idée
d'aucun d'eux de relier l'exaspération de leur entourage
à leur consommation de mari. Ils se justifiaient plutôt en
disant qu'ils étaient tout de même de bons travailleurs,
même si, au fond, ils n'avaient pas embrassé la carrière
dont ils avaient rêvée dix ans auparavant. « C'est vrai
que je dois noter tout ce que j'ai à faire si je ne veux rien
oublier — et que je dois aussi faire attention de ne pas
égarer ma liste. Mais toute personne responsable ne doit-
elle pas rédiger une liste ? Ne sommes-nous pas tous plus
ou moins oublieux ? Ne sommes-nous pas tous plus ou
moins irritables et tendus au cours de la journée de sorte
que le soir venu, il soit normal de fumer un " joint " pour
se calmer un peu les nerfs ? »

C'est à peu près en ces termes que j'ai lancé le débat.
Les lignes téléphoniques ont aussitôt été prises d'assaut.
Un auditeur déclara : « C'est l'histoire de ma vie que vous

racontez. Ma femme semble chaque jour un peu plus en rogne. Elle dit que je n'ai plus mon énergie d'autrefois. J'aime me détendre en fumant un joint quand je rentre du travail. Je ne fume jamais avant d'avoir fini ma journée de travail et je ne fais jamais d'exception à cette règle — à moins, bien sûr, que quelque chose de particulièrement stressant ne survienne au cours de la journée. En soirée, c'est autre chose. J'ai bossé dur toute la journée. Est-ce que je ne peux tout simplement pas décrocher un peu de la réalité ? Ma femme dit que je l'ennuie. »

Il voulait savoir si ce qu'il vivait dans son couple pouvait avoir quelque rapport avec sa consommation de mari. Quand je lui ai suggéré d'essayer de s'en passer pendant un certain temps juste pour voir ce qui arriverait, il s'est vite défilé. Il n'aimait pas du tout cette idée. J'ai souligné que sa façon de réagir à cette idée — sans même vouloir essayer — était révélatrice de l'emprise que cette substance exerçait sur lui. Après tout, je ne lui demandais pas de se passer définitivement de drogue, je lui suggérais simplement d'essayer de l'éviter pour un temps, parce qu'il semblait curieux de savoir si son problème pouvait être relié au « pot ». « Cessez de consommer pour un temps et observez ce qui se passe dans votre vie », lui ai-je dit avant de lui recommander de méditer sur la signification de sa résistance à l'idée d'abandonner temporairement la marijuana.

Un peu plus tard, au cours de notre conversation, il a dit qu'il semblait inspirer de plus en plus de dégoût à sa femme et cela l'inquiétait un peu parce qu'il ne voulait pas ruiner son mariage juste parce qu'il aimait « se relaxer ». Il ajouta : « Je ferais n'importe quoi pour sauver notre couple. Je ne veux pas qu'elle s'en aille. » Je lui ai répondu : « Vous dites — et je cite vos propres paroles — " je ferais n'importe quoi pour la garder ", mais vous ne voulez pas renoncer à la mari qui est peut-être précisément la cause de vos difficultés maritales. Que pensez-vous de cela ? » « Oh », a-t-il répondu, et un long silence a suivi. « Je pense qu'il faut que je réfléchisse à tout ça. » Notre conversation a pris fin peu après.

Les luttes en cours de recouvrance

Certains de ceux que j'ai eus comme clients, en consultation, ont dit qu'il leur arrivait, parfois même après des mois de sobriété, de ressentir encore des relents de l'ivresse. Ce phénomène, qui n'a rien d'exceptionnel, survient parfois au cours de la première année d'abstinence. Il s'explique par la libération d'une partie du principe actif de la mari qui s'est emmagasiné dans les tissus adipeux.

La plupart de ceux et celles qui cessent de consommer une drogue quelconque, et choisissent d'y renoncer définitivement, ne tardent pas, quelques jours ou quelques semaines plus tard (quelques mois dans le cas du valium), à sentir les effets bénéfiques de leur abstinence. Avec la mari, le processus est différent. J'ai remarqué que les accros à la mari doivent avoir au moins un an d'abstinence avant de commencer à en sentir les bienfaits: « Bon sang ! Ma santé s'améliore. C'est merveilleux ! » disent-ils alors. Comme vous pourrez le constater à la lecture des témoignages qui figurent dans les chapitres suivants, il faut au moins quatre ans d'abstinence pour se libérer totalement de l'ivresse de la marijuana.

Parce qu'ils tardent à sentir de façon significative les vertus de l'abstinence, parce qu'ils continuent à expérimenter certains états léthargiques, parce qu'ils ont toujours de la difficulté à se concentrer ou à avoir de la suite dans les idées, beaucoup abandonnent la thérapie. Victimes de leur impatience, ils arguent qu'il est inutile de rester abstinents parce qu'ils ne se sentent guère plus en forme qu'à l'époque où ils consommaient. Ils adoptent une attitude du genre « ça n'en vaut pas la peine ». J'ai bien essayé de convaincre certains d'entre eux de tenir le coup encore un bout de temps. J'ai beau leur rappeler que le sentiment de désenchantement général face à la vie qu'ils éprouvent est précisément l'une des conséquences d'avoir consommé de la mari. Ce phénomène particulier n'est pas décrit dans la littérature officielle sur la recherche en la matière, mais les thérapeutes le connaissent bien.

C'est ce genre d'effets secondaires qui poussent les gens à balayer du revers de la main le fait que la mari est véritablement au cœur de leur problème. Pour justifier le fait qu'ils n'ont plus besoin de soins thérapeutiques, ils minimisent allègrement les inconvénients de leur consommation pour rejeter sur leur entourage la responsabilité de leurs malheurs. Ils ont cessé de fumer de la mari, mais leur vie ne leur semble pas meilleure qu'avant. En cours de recouvrance, il y a une phrase qui aide généralement les gens à voir les choses sous un autre angle : « Lorsque je pointe un doigt vers toi, il y en trois qui pointent vers moi. » Les personnes qui reconnaissent la vérité de cet aphorisme n'ont aucune difficulté à endosser la responsabilité de leurs actes, de leur maladie, de leur recouvrance. Mais ceux et celles qui, donnant libre cours au déni, s'acharnent à trouver un prétexte pour interrompre leur thérapie, ne voient pas les choses du même œil. On ne peut que déplorer le fait que les effets secondaires cumulés d'une consommation assidue de marijuana poussent irrésistiblement les gens à recommencer à consommer, à renoncer à la recouvrance.

La recherche

Voici un témoignage que j'ai recueilli auprès d'une femme qui dit avoir pris l'habitude de fumer de la marijuana en 1968, à l'époque de ses quinze ans :

Ce que ma quête pouvait être erronée ! Ma mère est la seule personne qui m'a alors mise en garde. Elle disait : « Nous ne connaissons pas toutes les facettes de la réalité et cette drogue n'a pas encore livré tous ses secrets. Que feras-tu si jamais on découvre un jour qu'elle comporte effectivement de grands dangers ? Je n'aime pas beaucoup l'idée que tu fumes de la mari. Elle détruit peut-être les cellules de ton cerveau, elle est peut-être nocive pour tes poumons. Qui sait… ? Je t'en prie, ma chérie, j'ai peur que tu ne te fasses un mal irrémédiable. » Mais je ne voulais rien entendre à son discours. Rien de rien. Et je le regrette amèrement aujourd'hui.

Même si l'ensemble des recherches menées sur la marijuana couvrent une période de trente ans, il n'est pas aisé de dégager ce qui pourrait éventuellement servir aux thérapeutes. Pour que les résultats soient significatifs, il faudrait être en mesure de contrôler « la nature » du produit utilisé d'une étude à l'autre — et cela n'est pratiquement pas possible. La teneur en THC, substance psychoactive de la marijuana, ainsi que la plupart des autres composantes chimiques de cette plante sont rarement les mêmes d'une étude à l'autre. Il faut aussi tenir compte du fait que les méthodes de production artisanale de la mari ont, avec le temps, varié considérablement.

Sur le marché, on vend un produit dont la puissance n'a cessé, depuis les années soixante-dix, de croître en toxicité. En fait, en 1989, la mari cultivée aux États-Unis était 200 fois plus puissante que celle qui, à la même période, provenait du Mexique et d'Amérique du Sud. Ajoutons que sa puissance n'a pas cessé de gagner en force depuis. Il n'est donc pas possible de comparer les études réalisées il y a quelques années à celles que l'on vient d'effectuer : la drogue n'est plus la même.

D'autres variables viennent également brouiller les pistes : a) la quantité de fumée que les gens inhalent à chaque bouffée est difficilement mesurable et varie d'une personne à l'autre, b) le temps que chacun retient la fumée dans ses poumons et c) la quantité qu'il rejette à l'extérieur changent aussi d'une personne et d'une étude à l'autre.

Mais ces constats ne sauraient masquer la réalité qui perce : l'ensemble des études tendent fortement à démontrer que la marijuana affecte le fonctionnement de l'appareil psychique humain d'une manière qui est à la fois unique et paradoxale. Consommée en petites quantités, elle agit tantôt comme stimulant, tantôt comme dépresseur — mais surtout comme dépresseur sur ceux qui en absorbent de grandes doses. La marijuana affecte directement le système nerveux. Elle peut aussi affecter les systèmes immunitaire, reproductif, respiratoire et cardiovasculaire. Pour compliquer les choses, la marijuana n'est pas une drogue unique mais un mélange de 60 composés du *cannabis*. Il est pratiquement impossible de mesurer aujourd'hui les niveaux actifs de tous les éléments de la marijuana. En fait, les scientifiques n'en ont analysé en profondeur que 14 d'entre eux. Nous ignorons totalement de quelle manière les 46 autres agissent sur le métabolisme humain (Gold, 1989).

Si l'ensemble des études donnent à penser qu'il est dangereux de consommer de la mari, les résultats n'ont rien de concluant. Aussi, il est aisé pour un fumeur invétéré de mari de s'opposer aux vues de son thérapeute en arguant : « Vous voyez bien qu'on ne sait rien de définitif. Pourquoi alors cesser d'en fumer ? Je me priverais de ce plaisir absolument pour rien. Et puis, je me sens très bien dans ma peau. » J'essaie alors de leur faire entendre raison en rétorquant : « Mais si vous trouvez que la vie est si belle, pourquoi êtes-vous venu me consulter ? Regardons votre réalité en face et essayons de voir si le portrait qui s'en dégage est aussi idyllique que vous le prétendez. Vous dites que vous voulez que quelque chose change dans votre vie et je vous propose, moi, de réévaluer votre consommation de drogue. »

Les problèmes méthodologiques ne devraient pas, cependant, masquer le fait que certaines conclusions sont communes à presque tous les chercheurs. Un résultat concluant semble particulièrement significatif : les difficultés respiratoires et le cancer du poumon sont nettement plus répandus chez les fumeurs de marijuana que chez les adeptes de la cigarette. Il semble, en outre, que les pertes occasionnelles de mémoire, clairement reliées à une consommation régulière de marijuana, disparaissent quelques semaines après que le sujet cesse complètement d'en fumer. Certains documents font état du fait que la mari produit un changement hormonal qui peut nuire gravement au développement normal d'un adolescent. La mari modifie aussi la chimie du cerveau, mais nous ignorons toujours dans quelle mesure et pour combien de temps persiste le déséquilibre émotionnel qui peut en découler, particulièrement auprès des jeunes consommateurs. Il n'est pas rare que des habitués de la mari subissent de longues périodes de déprime après un usage chronique de marijuana.

Dans un texte publié en 1989, Mark Gold affirme, d'une part, qu'au début des années soixante-dix, un « joint type » de marijuana contenait en moyenne 10 mg (soit 1 %) de THC. En 1989, un « joint » de grande qualité contenait 150 mg de THC et ce chiffre doublait pour de la marijuana qui avait trempé dans l'huile de haschich. Un seul « joint » de ce produit équivalait donc, en 1989, à une dose de quelque 300 mg de THC. D'autre part, Gold a découvert que ceux et celles qui absorbaient quotidiennement une dose de 180 mg de THC pendant 11 ou 12 jours subissaient une perte de contact avec la réalité. La culture artisanale de marijuana, qui n'a cessé depuis 1989 de perfectionner ses techniques de production, livre aujourd'hui une variété de mari dont la teneur en THC est encore plus élevée. Il existe même un produit de la mari coupé avec du formaldéhyde. Cela implique qu'aux problèmes reliés à la marijuana, nous devons maintenant ajouter ceux qu'occasionnent les produits qui altèrent la drogue, des produits qui empoisonnent l'organisme et qui peuvent même donner lieu à une forme sévère de psychose.

Siegel, Garnier, Lindley et Siegel (1988) attribuent certains des problèmes d'empoisonnement ou de psychose, reliés à la marijuana, à la présence de mercure inhalé avec la fumée du « pot ». On cultive, en effet, de la marijuana dans certaines régions du Mexique, de Hawaii et de la Californie où les sols contiennent ce métal. Le mercure infiltre particulièrement les plantes qui poussent autour de sites naturels volcaniques et géothermiques. Quatre-vingt-cinq pour cent des vapeurs de mercure contenues dans la mari fumée et inhalée passent dans l'organisme d'un fumeur de ces plants. Le système sanguin charrie ensuite le poison dans les autres organes et le cerveau (McCarthy, 1989). Trouble de la mémoire, insomnie, pertes de contrôle, angoisse, irritabilité, somnolence, tremblements, paranoïa et déprime sont autant de symptômes qu'il semble logique de relier, partiellement du moins, à l'empoisonnement de plants provenant de sols mercuriels. Il est impossible de distinguer clairement les problèmes reliés à la présence du mercure dans l'organisme des fumeurs de mari de ceux reliés à la stricte action du THC.

Qui plus est, il a été signalé que la consommation quotidienne de marijuana double le risque de psychose. La forme de psychose la plus courante chez les accros à la mari est généralement de courte durée, mais ses manifestations sont des plus aiguës : les facultés mentales se ralentissent, la perception du temps se distord, un sentiment d'ivresse onirique envahit la pensée qui semble se fragmenter. Il arrive même que la personne hallucine. La sévérité des réactions est directement proportionnelle au degré de toxicité du produit.

Cohn (1986) soutient que la marijuana nuit à la production des ovules et des spermatozoïdes. « Les personnes qui ne sont pas encore parvenues au stade de leur maturité et qui consomment de la mari verront sans doute ralentir, ou même interrompre, le développement de leurs fonctions sexuelles. » Les jeunes aujourd'hui croient s'amuser en consommant de la mari ; en fait, ils sont comme des cobayes. Une étude du docteur Virchel Wood de l'Université Loma Linda fait état d'un nombre croissant de malformations des mains et des pieds chez les bébés nés de parents qui ont fumé de la marijuana. Le docteur Wood explique que ces difformités sont reliées au fait que les composantes chimiques de la marijuana ont tendance à s'accumuler dans les organes sexuels de l'individu où les cellules reproductrices (ou chromosomes) sont emmagasinées, ce qui donne lieu à des malformations.

Une autre recherche fait état de scientifiques qui ont soufflé de la fumée de mari, trois minutes par jour, pendant dix jours, dans des cages où vivaient des souris. C'est une très petite dose, même pour des souris. Lorsque les femelles mirent bas, on remarqua qu'un souriceau sur cinq souffrait de malformations. L'un des volets de cette recherche consistait à administrer pendant un certain temps de la marijuana à un groupe de souris femelles et d'examiner, par la suite, l'état de leurs ovaires. On constata que 75 % des cellules de leurs œufs étaient mortes ou endommagées. Le fait étonna les scientifiques d'autant plus que le système reproducteur des muridés présente rarement ce genre d'insuffisance organique. Ils en conclurent que la cause était imputable à la présence de marijuana dans l'organisme des souris.

Dewey (1986) a étudié la dimension subjective des effets psychologiques de la marijuana. Il parle notamment d'un sentiment général de fébrilité, d'un processus de dissociation de la pensée, d'une impression d'acuité accrue des organes sensoriels, de la distorsion du temps et de l'espace, de pensées paranoïaques, d'impulsivité, d'illusions et d'hallucinations. Dewey (1986), Oliwenstein (1988) et Gold (1989) avancent que ces problèmes psychologiques donnent souvent lieu à un ensemble de réactions inhabituelles se traduisant par une détérioration du potentiel psychomoteur, par une diminution des capacités de concentration, par des défaillances de mémoire auxquelles il faut ajouter un affaiblissement général du métabolisme. Des études ont démontré que la marijuana réduisait, pendant des heures, voire des jours entiers, l'activité des centres psychomoteurs d'un individu (les centres qui coordonnent les réflexes, notamment lorsque nous conduisons une auto). Les recherches de Yesavage, Leirer, Ditman et Holister (1985) portent sur les pilotes d'avion ayant consommé de la marijuana la veille d'un vol simulé. Vingt-quatre heures plus tard, la concentration et la précision des sujets montraient toujours des signes de défaillance. Et dire qu'ils ignoraient complètement qu'ils opéraient avec des capacités physiques et intellectuelles réduites.

Murray (1986), Steele (1989), Porterfield (1989), Gallagher (1988) et Hymes (1989) soutiennent tous que la marijuana affecte le processus cognitif. Elle est notamment la source d'une certaine confusion des idées et d'imprécision dans la gestuelle, elle réduit les capacités de mémorisation et le sujet en vient souvent à être incapable d'agir sur sa pensée pour mener à bien un objectif. Certains habitués de la mari clament que cette drogue a le pouvoir d'augmenter l'acuité de leurs perceptions (visuelle et auditive, plus particulièrement), mais les scientifiques n'abondent pas dans le même sens. Ceux et celles qui consomment de la marijuana ont souvent l'impression que leurs sens pénètrent une autre dimension de la réalité, mais ce n'est qu'une illusion, comme le montre l'exemple des pilotes d'avion qui croyaient ne commettre aucune erreur ; si le vol avait été réel, ils se seraient probablement écrasés avec leur appareil au sol. Sous l'effet de la marijuana, ce que nous percevons du monde est un mirage ; rien ne correspond à la réalité. Le compte rendu de Flynn et Kaye (1988) sur la tragédie de Amtrak, près de Baltimore, en 1987, est un bel exemple de « facultés motrices affaiblies ». Une erreur de l'ingénieur responsable du freinage (il avait fumé de la mari en travaillant) a causé la mort de 15 personnes et en a blessé 174 autres.

Les gens ignorent la plupart du temps à quel point leurs facultés psychomotrices sont réduites lorsqu'ils sont sous l'effet de la mari. Beaucoup d'accidents de la route sont sans doute attribuables au fait que certains individus conduisent leur véhicule sous l'influence de cette drogue. Mais puisque aucun test pour déceler la présence de la mari dans le métabolisme n'est obligatoire, il n'est actuellement pas possible de déterminer le taux d'accidents qui lui est imputable. « La seconde d'inattention » qui cause un accident peut s'expliquer de mille et une manières, mais je me demande sérieusement dans combien de cas elle est directement reliée à la présence d'une drogue (la marijuana, par exemple) dans l'organisme. Les gens ne devraient jamais conduire un véhicule moteur sous l'effet de la mari ; ils devraient se laisser un délai de 24 à 36 heures après avoir consommé de la marijuana avant de prendre le volant.

Gallagher (1988) affirme que les personnes qui risquent le plus de souffrir de complications sérieuses dues à la marijuana sont les jeunes, les femmes enceintes, les mamans qui allaitent, les personnes émotionnellement instables et les gens qui souffrent de troubles cardiovasculaires (la mari pouvant faire augmenter le rythme cardiaque de 90 pulsations par minute de plus que la normale). Mais Gallagher va plus loin. Elle cite une recherche du docteur Robert Millman du Hospital Payne Whitney Clinic de New York, qui révèle que sous l'influence de la marijuana, certains individus ont de subites attaques d'angoisse et de paranoïa qui leur font craindre de perdre leur maîtrise de soi. Les patients du docteur Millman n'avaient jamais auparavant vécu des problèmes de ce genre. En accord avec Miller, Eriksen et Owley (1994), Millman soutient que la marijuana a le pouvoir de provoquer ou de déclencher chez certaines personnes des désordres psychiatriques qui n'existent chez eux qu'à l'état latent.

Publié en 1989, *Current Health 2* de Kay M. Porterfield montre comment la marijuana réduit la vivacité d'esprit en ralentissant les processus d'apprentissage et de mémorisation. Porterfield avance même qu'il est possible que les pertes de mémoire s'étendent sur une longue période de temps. Au cours d'une recherche menée, en 1989, dans une école secondaire, cette chercheuse a observé un déclin de la motivation menant à de piètres résultats scolaires, une faible estime de soi et un désengagement général à l'idée d'entreprendre une carrière parmi les étudiants et les étudiantes qui fumaient régulièrement de la marijuana.

Les adolescents et les jeunes dont l'organisme ne s'est pas encore pleinement développé et qui, pour cette raison, ne devraient jamais consommer de la drogue, sont malheureusement ceux et celles chez qui se recrutent le plus couramment les nouveaux adeptes de la mari. Le numéro d'octobre 1995 de la revue *The Weekly Reader* mentionne une récente étude menée dans une école primaire auprès des élèves qui fréquentent les classes de cinquième et sixième années : 26 % des enfants interrogés ont répondu qu'ils avaient des amis qui fumaient, au moins une fois par semaine, de la marijuana.

Publié en 1984, par la Metropolitan Insurance Company, un bulletin statistique montre que plus de 50 % des personnes qui consomment de la marijuana en ont pris l'habitude à l'époque où ils allaient à l'école (entre la sixième année du primaire et la troisième année du secondaire). Gold (1989) se dit particulièrement préoccupé du fait que les personnes qui s'adonnent à la mari sont de plus en plus jeunes et que les produits qu'ils consomment sont de plus en plus toxiques. Nous ne savons pas dans quelle mesure ces doses plus fortes porteront préjudice à la santé des jeunes dans l'immédiat et dans le futur simplement parce qu'aucune étude à long terme n'a été entreprise sur ces mélanges plus forts de marijuana que l'on trouve actuellement sur le marché. Les données dont nous disposons pointent vers des solutions, mais nous ne disposons d'aucune conclusion qui soit définitive et sûre. On pense ici plus particulièrement aux jeunes dont la croissance pourrait être entravée, tant sur le plan physiologique, plus particulièrement hormonal, que sur le plan émotionnel. C'est d'ailleurs à ce chapitre que la « réalité » a quelque chose de terrifiant, surtout pour les intervenants en toxicomanie appelés à traiter toutes sortes de troubles inhabituels, des problèmes pour lesquels il n'existe actuellement aucune documentation. Comment établir un lien de confiance avec un patient, quand on n'est pas en mesure de lui prouver, de quelque manière que ce soit, que la mari comporte toute une gamme d'effets secondaires indésirables qui peuvent avoir des effets à long terme ? C'est, on en conviendra, une tâche ardue surtout quand il faut composer avec la paranoïa qui s'installe chez des gens déjà handicapés sur le plan cognitif par un usage abusif de drogue et à qui on demande de renoncer à leur consommation de mari.

Remarques sur les témoignages

Les témoignages de ce livre présentent l'histoire de dix personnes qui se sont un jour adonnées à la marijuana. Si leur expérience de la drogue leur a procuré du plaisir au début, ils ont fini par admettre que leur vie n'a, au bout du compte, plus rien d'amusant. Chacun d'entre eux a cheminé différemment, mais ils en sont tous un jour venu à vivre leur vie en tant que dépendants en recouvrance de la marijuana. Je ne suis presque pas intervenue dans la rédaction des textes. Le vocabulaire et le style d'expression de chacun ont été respectés afin que vous puissiez ressentir l'émotion et l'expérience des sujets. J'ai cependant changé tous les prénoms, afin de protéger l'anonymat.

Chaque fois qu'un client entreprend une thérapie avec moi en se demandant si le fait qu'il fume de la marijuana constitue un problème, j'ai remarqué que la raison qui l'avait attiré vers la drogue était toujours la même : il cherchait à s'amuser, à se relaxer, à profiter des plaisirs de la vie. Personne n'a jamais commencé à consommer avec le désir avoué de devenir dépendant de cette drogue.

Les gens interviewés pour ce livre sont très différents les uns des autres. Le milieu dans lequel ils ont grandi, leur âge, leur mode de vie ne sauraient être comparés. Mais ils ont tous un point en commun : après les déboires que leur a occasionnés leur consommation de marijuana, ils souhaitent aujourd'hui vivre abstinents, un jour à la fois.

La période d'abstinence continue de chacun a déterminé l'ordre de présentation des témoignages. Ainsi, le premier témoignage est le récit d'une personne ayant neuf mois d'abstinence tandis que le dernier a été rédigé par une personne qui compte quinze ans de sobriété. Le but d'ordonner ainsi les récits est de faire prendre conscience au lecteur comment l'abstinence amène les gens à changer peu à peu et à découvrir une nouvelle façon de voir la vie, la drogue, la réalité. Il faut parfois compter une longue période d'abstinence, ainsi que l'écrit l'un des auteurs de ces récits, pour « clarifier » son état mental.

J'ai délibérément opté pour un éventail significatif de témoignages de rétablissement. Peu importent leur âge, leur profession, le milieu d'où elles sont issues, les personnes qui se racontent ici se distinguent d'une manière tout à fait unique. Elles partagent avec nous ce qu'était leur vie avant de consommer, elles nous confient les plaisirs et les affres de leur consommation, elles nous disent ce qui les a amenées à la recouvrance et terminent en nous disant comment elles parviennent aujourd'hui à vivre sans consommer de marijuana. Cette formule de « partager son expérience, sa force et son espoir » est l'une des clés du succès des réunions des Douze Étapes.

On a dit que « la dépendance est la seule maladie où les gens s'acharnent à *bloquer* délibérément tout processus de guérison ». Mais la recouvrance *est possible*. Elle prend place, *un jour à la fois*. Il existe même un mouvement d'entraide, Marijuana Anonymes (M.A.), qui a adopté le mode de vie des Douze Étapes des Alcooliques Anonymes. Ainsi qu'en témoignent les gens dans ce livre, la vie peut être très différente de ce qu'elle était. La recouvrance est possible : il suffit de prendre les moyens nécessaires pour devenir abstinent.

Les AA ont un dicton : « Assiste régulièrement aux réunions, refuse toujours de prendre un premier verre, et tu ne seras plus jamais ivre. » On pourrait paraphraser ce dicton et dire: « Assiste régulièrement aux réunions, refuse toujours un premier "joint" et tu ne seras jamais plus " gelé " . » Lorsque les gens se libèrent de l'emprise de la marijuana, ils cessent d'être déphasés par rapport à la réalité et commencent à évoluer dans le monde avec beaucoup plus d'aisance. Mais, ainsi qu'en témoignent les auteurs des récits de ce livre, il leur faut aussi réapprendre au quotidien de nouvelles façons de faire face aux situations émotionnelles.

Ce livre montre comment on peut se rétablir de la dépendance à la marijuana. Chacun des témoignages comporte des références au mouvement des AA et à d'autres mouvements anonymes où l'on pratique les Douze Étapes. La recouvrance est un mode de vie. Elle fournit de nouveaux outils grâce auxquels un dépendant apprend à affronter les hauts et les bas de la vie. La « gratitude » dont parle l'alcoolique ou le dépendant exprime leur reconnaissance de posséder enfin une méthode efficace pour vivre, la méthode qui leur faisait cruellement défaut. Ils pourront se sentir mieux dans leur peau. Ils bénéficient en même temps d'un groupe de soutien lors des réunions. Avant de connaître les groupes des Douze Étapes, beaucoup de dépendants n'avaient jamais connu les principes de l'entraide, surtout ceux et celles qui ont été éduqués au sein de familles où l'amour et la solidarité humaine étaient une denrée rare, fortuite, conditionnelle, et souvent inexistante. L'aide et le soutien sur lesquels peuvent compter les dépendants au sein des groupes sont des facteurs décisifs du succès de leur recouvrance.

Le nombre de réunions auxquelles il faut assister varie considérablement d'une personne à l'autre. Quand un dépendant traverse une période où il sent que la rechute « rôde » autour de lui, quand l'idée de consommer de nouveau le reprend, il peut assister à une et même deux réunions par jour. Ceux et celles qui ont intégré une bonne partie du mode de vie se limitent, pour leur part, à deux, trois ou quatre réunions par mois. En fait, le taux de fréquentation des réunions varie selon les besoins des gens et selon les difficultés qu'il leur faut surmonter.

À titre de thérapeute auprès des personnes qui vivent une dépendance aux drogues et aux psychotropes, je recommande à mes patients de commencer par assister à quatre réunions par semaine et de diminuer ce taux de fréquentation peu à peu, à mesure qu'ils se sentent plus sûrs d'eux-mêmes. Je leur recommande, en outre, de prendre un parrain, c'est-à-dire un membre qui jouit d'un certain temps d'abstinence, une sorte de confident qui peut les aider à comprendre les Étapes. Le nombre de réunions auxquelles un dépendant assiste n'est pas nécessairement proportionnel à la qualité et à l'efficacité de son rétablissement. Ce qui est important ici est comment, en dehors des réunions, il arrive à mettre effectivement en pratique les principes de la recouvrance dans sa vie de tous les jours.

À la lumière des informations que je viens de vous communiquer, je vous invite maintenant à lire les témoignages qui suivent.

Je terminerai mon livre en dressant un résumé des principaux faits que l'abstinence a permis de faire découvrir à ces ex-usagers de la marijuana. Notre dernier chapitre tentera de montrer en quoi ces expériences de vie peuvent bénéficier à toutes et à tous.

CHAPITRE DEUX

Désirée

Neuf mois d'abstinence

Employée de bureau

22 ans

J'ai passé les quinze ou seize premières années de ma vie dans une petite ville de Pennsylvanie. Mes deux demi-sœurs, Jeanne et Roxanne, ont respectivement dix et treize ans de plus que moi. Mon frère, Vic, est de quatre ans mon aîné. Puis, il y a Élise, elle a dix-huit mois de moins que moi.

Chez nous, j'avais souvent l'impression de vivre dans l'insécurité. J'avais quatre ans, ou peut-être cinq ans, la première fois que je ressentis clairement ce sentiment. Je sentais que quelque chose ne tournait pas rond dans ma famille. Je me souviens du jour où, dans le salon, j'ai vu mon père : il était assis et fixait le mur. Ça a duré toute la journée ! J'ai demandé à ma mère de m'expliquer ce qui se passait, mais elle faisait comme si elle ne comprenait rien. Je pense que, sur le plan psychologique, ce souvenir m'a beaucoup marquée : je me sentais abandonnée et rejetée. Je me suis demandé : « Qu'est-ce qui ne va pas Désirée ? Pourquoi on ne t'explique jamais rien ? Pourquoi es-tu incapable de comprendre ce qui se passe autour de toi ? »

Nous vivions dans une maison de fous. On s'injuriait, on se tapait souvent dessus. Je ne me rappelle pas avoir été battue, mais ma mère, Jeanne, Vic et Élise l'ont souvent été. J'ai vu des scènes terribles. Maman disait que papa me préférait aux autres. En fait, quand Vic est né, je présume que papa voulait une fille. Ma naissance l'a rendu très heureux. Quand Élise est arrivée, ça ne lui a pas fait un pli. Il avait déjà sa petite Désirée…

Je me cachais souvent. Je crois que les livres, la nourriture et l'isolement ont été mes premières dépendances. En compagnie des autres, je faisais semblant d'être jolie et gentille — mais je ne pensais qu'à les fuir. Il m'est aussi arrivé d'intervenir au beau milieu d'une querelle pour jouer les arbitres. Quand ma mère était impliquée dans un conflit, je me faisais volontiers sa protectrice, mais quand mon père et Vic en venaient aux coups, je faisais attention pour ne pas les approcher de trop près. C'était trop effrayant, je courais me cacher…

J'ai été le témoin de scènes épouvantables entre mon père et ma mère, de scènes qui m'ont complètement retournée. Parfois, je me risquais à dire à ma mère comment je me sentais. La crise passée, nous nous réconfortions. Élise partageait souvent ces moments. Je nous revois encore, toutes trois enlacées, essayant de nous rassurer. Je me rappelle aussi avoir une ou deux fois parlé ouvertement à l'une de nos baby-sitters. Mais c'est tout. Jamais personne à qui me confier.

Le temps a passé. Maman participait de plus en plus activement à un mouvement pour la paix ; ça l'a même fait voyager souvent en Amérique du Sud. Nous allions parfois marcher avec elle pour la paix. On s'amusait ferme. Mais papa en faisait, chaque fois, tout un plat. Et quel plat, Seigneur ! À l'époque, maman se contentait du rôle de femme au foyer — et c'était plutôt sympathique parce qu'elle était toujours là, près de nous.

Je me rappelle une scène qui a eu lieu un peu avant le divorce de mes parents. Des policiers sont venus et ont emmené mon père. Je crois que l'un d'entre nous a couru se réfugier chez des voisins dont le chef de famille était flic. Papa délirait ; il parlait avec violence et proférait de terribles menaces.

J'avais dix ans quand mon grand-père a décidé qu'il était temps que je sache embrasser un homme. Il est entré dans ma chambre, a refermé la porte derrière lui et a déclaré : « T'es une grande fille maintenant. » Et il m'a servi la leçon. Après, il a demandé si j'avais aimé ça. J'étais sous le choc et j'avais peur ! J'ai marmonné quelque chose. Grand-papa était un homme malade !

Il y avait une sorte de château fort que j'avais bâti dans un arbre. Un jour, je me suis arrangée pour que mon grand-père m'y suive. Et vous savez ce que je lui ai dit ? Je lui ai dit : « Pépé, je suis ta petite-fille, je ne suis pas ta blonde ! » Il a répondu : « O.K., O.K., ça va ! », et il est parti.

J'en ai parlé à ma mère qui en a parlé à mon père. Ils pensaient que c'était de ma faute. Je devinais que mon père et ma grand-mère cherchaient à protéger mon grand-père. Quelle vacherie ! Ils disaient que c'était parce que j'étais presque tout le temps toute nue, ou que je m'étais trop souvent assise sur ses genoux. Ils disaient qu'il avait voulu me servir une leçon. Vraiment, je ne savais plus quoi penser, je n'étais plus du tout sûre de la réalité. Je pense que maman a tenté de plaider ma cause, mais elle a démissionné. Elle a eu peur et, soumise selon son habitude, elle n'a rien dit. Moi, j'ai défendu ma version des faits la rage au ventre !

Nous avons déménagé peu après, j'avais onze ans. Mon père refusait de quitter la maison et maman a été obligée d'aller vivre dans un centre pour femmes en détresse. J'avais onze ans. Je crois que mon aventure avec grand-père a été la goutte qui a fait déborder le vase. Mon frère Vic vivait la plupart du temps chez un de ses amis. Il lui était déjà arrivé de passer quelques jours dans la famille qui a fini par le prendre sous sa protection. Il n'a jamais été question d'adoption. On l'avait simplement recueilli par bonté d'âme.

Nous vivions au centre de femmes en détresse, quand, un jour, je suis allée chez papa. C'est là que j'ai parlé à ma grand-mère au téléphone. Quand il a été question de l'abus auquel s'était livré son mari, elle a de nouveau essayé de me convaincre qu'il avait en fait voulu me servir une leçon. Je me suis emportée. Je disais n'importe quoi, je délirais, j'ai hurlé, je pense. J'ai vite couru chez des voisins où maman m'a sans doute ramassée un peu plus tard. Quel drame ! J'éprouvais tant de rage et de haine pour mon père.

Et puis, maman nous a raconté que papa se droguait. Il avait toujours fumé de la mari ; mais il s'adonnait maintenant à la cocaïne. Il y avait chez nous une salle de travail que papa fermait à clé. C'est là, je crois, qu'il consommait. Il s'y enfermait sans doute pour se cacher. Je ne me rappelle pas l'avoir pris sur le fait. Maman a aussi parlé d'un tas d'histoires pas très orthodoxes à propos des comportements que papa aurait eus à son égard. Paraît-il qu'il aurait même essayé de l'étouffer, un certain soir. Ça m'a mise à l'envers ! Elle parlait de *mon* père ! Je me suis refermée complètement. J'ai couru me cacher dans mon arbre. Je pleurais, pleurais. Rien ni personne ne pouvait m'en faire descendre.

Du centre pour femmes, nous sommes allées vivre chez la plus âgée de mes demi-sœurs. Un mois ou deux plus tard, nous déménagions dans une maison située à quelque dix kilomètres du village où je suis née. Un an après, papa ayant enfin consenti à quitter notre maison, nous avons pu y retourner. La maison était dégoûtante de saleté. Je pense que papa n'avait jamais fait de ménage. Il nous a fallu des jours et des jours pour nettoyer toute la crasse.

À l'époque, papa refusait de me voir à moins que je ne voie aussi mes grands-parents. Je les avais pourtant reniés. Cependant, un jour que je visitais mon père (ce devait être à l'époque du centre pour femmes), j'ai cédé à ses insistances et nous sommes allés les voir. Ça m'a dégoûtée de lui (et j'ai mis beaucoup de temps à me défaire de ça). Il m'embrassait sur la joue et j'avais ça en horreur. Ce n'est que vers l'âge de quinze ou peut-être seize ans que ce sentiment a commencé à s'estomper.

À douze ans, je sortais avec un type qui en avait dix-neuf ; c'est lui qui m'a fait découvrir la marijuana. Je me rappelle mon premier « joint » : j'en aspirais goulûment de longues bouffées que je gardais le plus longtemps possible dans les poumons — *et j'ai adoré l'effet !* Je suis tombée en amour avec cette drogue qui me déconnectait de la réalité, qui me faisait dérailler, qui chassait mes problèmes. Je pensais : « La vie est formidable, je plane ! » J'ai consommé avec ce gars jusqu'au jour où j'ai décidé qu'il était trop vieux pour moi et j'ai rompu. Par la suite, tous mes nouveaux amis consommaient de la drogue : on fumait, on buvait, on prenait de l'acide. J'avais douze ans quand j'ai pris ma première cuite. À certains moments, je consommai du *crank* (*speed*) et de la cocaïne, mais la marijuana est toujours restée ma drogue préférée.

À douze ans, je suis un jour rentrée à la maison avec des cheveux verts coupés à la mode punk. Maman m'a aussitôt ordonné d'aller dans ma chambre. Je lui ai répondu : « Non. Je sors avec mes amis. » Elle m'a défiée : « Va dans ta chambre. Si tu sors avec tes amis, je ne veux plus te revoir ici. » Je suis donc allée chez des amis et j'y suis restée quelque chose comme une semaine. La veille de mes treize ans, maman m'a téléphoné pour m'inviter à mon souper d'anniversaire. Elle avait accepté mon nouveau *look* de « punk rocker » et je suis retournée à la maison.

Mes amis étaient, comme moi, *punks* et *rockers* ; on passait le temps à se défoncer à l'alcool et à la drogue. Fay, que j'ai rencontrée à cette époque, est devenue ma meilleure amie. Nous formions un duo coloré ! Je mélangeais les styles *punk* et *rocker*, je chaussais des bottes militaires, je coupais mes cheveux verts. Fay versait dans le *heavy métal*; elle portait des vêtements débraillés, gardait ses cheveux longs et fardait son visage plus que nécessaire.

Ma vie, c'était l'enfer ! J'ai tombé de haut quand j'ai appris qu'il s'était formé, parmi mes fréquentations, une espèce d'association anti-Désirée. J'ai voulu un jour en finir en avalant toute une bouteille d'aspirines. Ça m'a surtout fait dormir un bon bout de temps. Quand je me suis réveillée, ma mère me criait après. J'ai alors pensé : « Ça va pas, non ! Je veux mourir et on m'engueule comme du poisson pourri ! Bon Dieu de merde, on ne va tout de même pas me faire croire que c'est normal, non ? »

L'amitié de Fay est la seule chose qui m'a permis de tenir le coup. On fumait des tonnes de mari en écoutant de la musique, on prenait des marches en se tenant par la main. (On n'était pas des lesbiennes, on était simplement les meilleures amies du monde.) Fay et bien sûr la drogue que nous consommions me réconciliaient avec la vie.

Un jour, maman a fait un voyage au cours duquel elle a rencontré Steve. Ça a été le début de leur relation à distance. Elle était vraiment tombée en amour avec lui. J'avais quinze ans quand elle a décidé de quitter la Pennsylvanie pour aller vivre avec lui dans un autre coin du pays. Elle m'a donné le choix : ou je partais avec elle, ou je restais. J'aimais mieux rester. Seule. Enfin presque…

Il faut que je vous dise que depuis le divorce de mes parents, maman avait pris des pensionnaires à la maison. Je ne sais pas si c'était par inconscience, mais il lui semblait tout à fait normal que je côtoie tout ce beau monde. J'ai tour à tour été maîtresse de maison, maman et confidente. Je devais avoir quinze ou seize ans, je travaillais pour gagner ma vie et pour consommer. Maman me prêtait sa voiture quand j'en avais besoin. Certains de mes amis ont même pris pension chez nous. Tous ces étrangers avaient de la misère à s'entendre. On se battait souvent, comme dans le temps de Vic et de papa.

Est-ce que j'allais à l'école à ce moment-là ? Mes souvenirs ne sont pas très clairs. Voyons voir… Je me souviens que l'école publique refusa de m'admettre au secondaire. Je suis allée dans une école alternative. Je me rappelle avoir réussi la deuxième et la troisième du secondaire. En quatrième du secondaire, au beau milieu de la session, je me suis dit que j'en avais assez de l'école et des cliques avec qui on doit socialiser. Maman m'avait jadis inscrit, ainsi qu'Élise, à un programme d'éducation à domicile. Je savais donc que c'était possible de suivre des cours chez soi. C'est ainsi que j'ai complété mon secondaire. Je payais de ma poche les 250 $ par année que ça coûtait. Il m'est arrivé de sauter des jours d'étude, mais c'était plutôt rare. J'ai fini par décrocher mon diplôme.

Un soir, j'ai invité une voisine à la maison et, avec quelques pensionnaires, nous avons *sniffé* de la cocaïne. La fille a raconté ça à l'une de ses amies qui l'a répété à son père qui était flic. Tout à coup, tout a changé. On a dit : « Mais qu'est-ce que tu fous ici ? T'es une mineure. Tu ne peux pas vivre toute seule. Pas ici. »

Les pensionnaires sont restés. Moi, je suis allée vivre un mois ou deux chez mon père avant que maman et Steve ne m'amènent avec eux. J'ai travaillé un peu à gauche et à droite, mais je ne restais jamais très longtemps au même endroit. Je consommais beaucoup de drogues, parfois même des *caps d'acide* et de la *coke*. J'ai eu une liaison avec un *dealer* qui a duré un an. J'ai aussi fréquenté un homme marié. Je déraillais complètement !

Puis, j'ai voulu voir Jeanne, ma sœur. Elle vivait dans le Colorado. Je n'ai pas réussi à mettre la main sur aucune drogue. Je paniquais ! Mais j'ai aussi pensé qu'il fallait peut-être que je change de vie. Deux semaines plus tard, je n'avais toujours rien consommé. J'ai pensé : « Ça y est ! C'est ça que je veux ! J'adore ça ici. Je refuse de retourner d'où je viens » (sinon pour ramasser mes affaires). J'avais dix-huit, presque dix-neuf ans. Le jour où je suis partie du Colorado, ma sœur m'a donné un numéro de téléphone en cas d'urgence. J'ai aussi noté l'adresse d'un groupe de Narcotiques Anonymes (N.A.) ; c'était tout près de chez maman. C'est là où je me suis d'abord rendue, avant même de passer chez maman. Ça a été une soirée extraordinaire ! Je suis restée abstinente toute la semaine qui a suivi, alors que, chez maman, je ramassais mes affaires. En attendant, ma sœur m'a déniché du travail et un appartement où loger. Je suis arrivée au Colorado et tout était prêt ! Je me suis rendue à une autre réunion N.A. où quelqu'un m'a donné quelque chose à lire qui m'a fait déchanter. C'était le prétexte dont j'avais besoin pour ne plus retourner aux réunions. Il m'arrive de temps en temps de prendre un verre de trop, mais je n'ai pas retouché à la mari, et ce, par moi-même, pendant les quatre mois qui ont suivi.

Puis Bob (aujourd'hui mon ex-mari) est arrivé dans ma vie. Il n'avait rien d'un drogué, il ne fumait même pas la cigarette. Mais il voulait bien consommer un peu, à l'occasion, avec moi. (Est-ce que ça n'est pas tout simplement épouvantable de l'avoir ainsi entraîné ?) Il est venu vivre avec moi et on est resté ensemble quelque chose *genre* deux ans et demie. Nous nous sommes séparés et remis ensemble plusieurs fois. Mais Bob finissait toujours par revenir. Nous allions d'un appartement à un autre parce que nous n'avions pas de quoi payer le loyer. L'argent servait plutôt à acheter de la drogue. Ni lui ni moi ne pouvions garder un emploi. On a été chez les parents de Bob — puis on a mis le cap ailleurs. La vie avait ses hauts et ses bas. Bob était un homme doux, mais il lui est arrivé de perdre les pédales quelques fois. Je me rappelle le jour où il s'est emporté à la suite d'une querelle : il m'a clouée de force au lit. J'ai eu une peur atroce !

J'ai épousé Bob en pensant que le mariage me ferait enfin connaître l'intimité, la stabilité et parce que je croyais que la famille ferait de moi une femme. Je voulais être prise en charge, surtout sur le plan financier. Mais je n'arrivais jamais à garder un emploi, et Bob n'était pas plus doué que moi pour ça. L'argent manquait. Avouez que c'est plutôt cocasse : j'épouse un homme pour qu'il s'occupe de moi et il n'est même pas foutu de prendre soin de lui ! Croyez-moi, je crois que c'est Dieu qui a permis que ça arrive ainsi. C'était, pour Lui, le moyen le plus rapide de me conduire là où il fallait que j'aille, là où j'allais apprendre à être responsable, à m'occuper de moi. Je n'ai aujourd'hui que vingt-deux ans. Ça aurait pu être plus long et plus pénible.

À l'époque où je me suis mariée, je fumais tous les jours. Il m'arrivait de temps en temps de penser que j'avais peut-être un problème de drogue. C'était comme des messages de cesser de consommer. Et puis je suis restée abstinente cinq jours d'affilée. J'ai cru que ça y était. Je ne voulais pas recommencer. Et pourtant c'est arrivé. La première fois que j'ai consommé après cela, je me suis vraiment défoncée. Je me suis forcée, *moi-même,* à retourner à la dépendance. Je voulais seulement être soulagée. Et l'enfer a recommencé. Je fumais tous les jours un peu plus que la veille. Ça me désespérait. Je n'essayais même plus d'arrêter. Je me disais : « Dans la vie, il n'y a rien d'autres qui en vaille vraiment la peine. » Je paniquais à l'idée de manquer de drogue et mon affolement durait tant que je n'arrivais pas à m'en procurer.

Un matin du mois d'octobre 1992, je me suis réveillée en me disant : « J'en ai assez. Je fous tout en l'air. » Jeanne m'a recueillie chez elle pour un temps. Après, je suis retournée dans le Midwest, chez ma mère, où je suis restée un mois. J'ai parlé quelques fois avec Bob au téléphone et il a fini par me convaincre de reprendre avec lui. Il avait, paraît-il, gagné beaucoup d'argent et nous avait trouvé un appartement. J'ai cédé. Notre bonheur a duré deux semaines. Quand j'ai découvert qu'il avait en fait emprunté l'argent, j'ai compris que les raisons qui avaient motivé mon retour ne tenaient plus. Je vivais cela comme une trahison. Nous avons eu une scène terrible dans la voiture. Puis, j'ai bouclé mes valises et je l'ai quitté. Seulement, je suis revenue assez vite. Je voulais sauver les apparences. Après tout, je venais à peine de reprendre avec Bob. Qu'est-ce que maman aurait pensé de moi ? Et je désirais tant qu'on s'occupe de moi. Je voulais être heureuse, je voulais un mari. Ça s'est mis à mieux aller. J'ai diminué ma consommation de marijuana et j'ai travaillé un peu. Mais ça n'a pas duré. Je me suis remise à fumer de plus belle. Toute la journée, chaque jour.

Élise est venue nous visiter. C'était le prétexte que je cherchais pour quitter mon travail. Mais ce qu'il y a de plus aberrant là-dedans, c'est que je ne me rappelle pas vraiment le temps que nous avons passé ensemble. Je me rappelle seulement que nous avons surtout passé du temps à consommer. C'est le jour où tout a commencé à s'effondrer. Une dépendance en relance toujours une autre : je fumais et mangeais sans arrêt. Bob et moi avions beau emprunter, les factures s'accumulaient, le loyer prenait du retard.

Et puis, au mois de juin 1993, Jeanne a piqué du nez. Elle suivait depuis quelques mois un programme de recouvrance, mais elle venait de rechuter à la suite d'une grave dépression. Jeanne n'avait plus toute sa tête : elle était incohérente et parlait de suicide. Elle m'a demandé de l'aide et je suis accourue. Le soir de mon arrivée, nous avons beaucoup consommé. Elle buvait de l'alcool, je fumais de la mari. J'ai passé le week-end à téléphoner dans le Midwest pour demander conseil à maman et à Élise. Elles me répétaient : « Amène-la voir un psy ! » J'ai réussi à avoir un rendez-vous le lundi suivant. Jeanne a aussitôt été hospitalisée ; quelques jours plus tard, on la transférait dans une clinique spécialisée. Moi, pendant ce temps, je faisais tant bien que mal fonctionner la petite affaire qu'elle avait montée. Je vivais chez elle, je consommais tout le temps et j'essayais de gérer ses affaires du mieux que je pouvais.

Maman a débarqué dans le Colorado. Elle est restée près de deux semaines à la clinique où Jeanne était. C'est là qu'elle a beaucoup appris sur la maladie de la dépendance. Elle est sortie de la clinique deux jours avant Jeanne. Je crois que, pour ma part, j'étais au bout de mon rouleau. J'étais prête, mais j'avais seulement besoin qu'on me pousse dans le dos. Maman m'a demandé de m'asseoir. Elle voulait me parler un moment : « Tu as une maladie qui s'appelle la dépendance. Tu as besoin d'aide. Cette maladie, c'est comme un cancer. Tu ne peux rien contrôler, il te faut de l'aide. »

Ça m'a donné à réfléchir. Je n'ai fait que ça tout le temps. Ça n'a cessé ni au cours de la soirée, où j'ai consommé, ni le lendemain matin. Je n'arrivais pas à me sortir ça de la tête. Un ami venait tout juste de me refiler de la came de troisième ordre et ça m'a décidé : j'allais vivre mon dernier jour de consommation. Le soir même, je me rendais chez mon revendeur à qui j'ai refilé toutes les drogues que j'avais en ma possession ainsi que tout l'attirail qui vient avec. Le lendemain matin, je suis passée au centre thérapeutique pour y prendre Jeanne. Ma première journée d'abstinence commençait.

Jeanne est montée dans la voiture et je lui ai tout de suite avoué que je venais juste de renoncer à la drogue et que cette décision me faisait peur. Le soir même, Bob m'amenait dans une réunion anonyme où j'ai pris la parole : « C'est ma première journée d'abstinence et j'ai peur ! » Ça a été tellement merveilleux ! On m'a donné un livre, le « texte de base ». *On me l'a donné !* Je suis repartie pleine d'espoir. Les jours qui ont suivi ont été durs et déroutants. Je me désintoxiquais tout en croyant que je perdais mon meilleur ami dans la vie. Je me répétais tout le temps : « Qu'est-ce que je vais faire pour survivre sans ça ? » Je me rappelais alors une phrase du programme que j'avais jadis répétée : « Un jour, je retournerai dans une réunion et ce sera le début de mon abstinence. » Je savais que ce jour viendrait. Qu'il était tout proche…

J'ai fait 90 [réunions] en 90 [jours] — je n'ai manqué que parce que j'étais malade. Je me suis engagée dans la voie de la recouvrance. Bob et moi avons décidé de nous séparer. En recouvrance, j'ai rencontré un membre avec qui j'ai eu une liaison. Bob et moi avons décidé de divorcer. Je crois que cette relation avec un autre homme m'a permis de m'éloigner de Bob, de le fuir. Deux mois plus tard, j'emménageais avec ma nouvelle flamme. Il n'avait qu'un mois d'abstinence de plus que moi. La recouvrance me reconnectait peu à peu à la réalité et j'ai compris que cette nouvelle relation n'était pas tout à fait ce dont j'avais besoin. Deux mois plus tard, je le quittais. Je suis allée vivre chez une amie pour un temps, puis j'ai loué l'appartement que j'habite depuis maintenant cinq mois. J'adore cet endroit. Il faudrait un miracle pour que je renonce à vivre là. C'est mon chez-moi à moi. C'est moi qui paie les factures et le loyer. C'est moi qui dois faire preuve de responsabilité et travailler pour garder ce que j'ai — et ça marche ! Personne ne m'empêche de sortir, j'y invite qui je veux et je peux m'y réfugier.

Hier, j'ai fêté neuf mois d'abstinence. Il y a tant de choses à dire sur les joies de la recouvrance que je ne sais pas trop par où commencer. J'ai changé. J'ai évolué. Mes relations, avec les hommes surtout, sont beaucoup moins pénibles. Je me réconcilie peu à peu avec mon enfance, avec mon père [et avec tous les hommes], je règle mes problèmes de sexualité. J'ai revu comment j'agissais et mes comportements avec les hommes. Je sais aujourd'hui comment cela m'affecte. Il m'arrive encore de rentrer dans la peau de la fille qui a besoin d'être aimée, qui fait toujours tout ce qu'on lui demande. Quelle merde ! Ce sont des jours où, croyez-moi, la sérénité passe par-dessus bord. Quand je refuse d'écouter mes sentiments, quand je n'en fais « qu'à ma tête », le goût de manger, de me gaver, n'est jamais très loin.

Aujourd'hui, je fréquente une foule de gens. Je ne couche, pour le moment, avec personne. C'est incroyable ! Tout dans ma vie tourne autour de la recouvrance. C'est très sérieux : le travail que je fais, mes relations professionnelles, mes amis et amies. Quand je pense que j'entretiens des liens d'amitié *avec des filles* et que j'ai une marraine… Tout ça, je le dois au fait que je suis abstinente ! Là où je travaille, on m'incite à suivre des cours en management. On veut que je sois, *moi*, gestionnaire !

Je m'applique, depuis plusieurs mois, à dresser l'inventaire de la Quatrième Étape. J'ai rempli des cahiers entiers. Ça risque de prendre des jours et des jours [pour partager tout ça] avec ma marraine. J'essaie de mettre quotidiennement les Étapes en pratique. Aujourd'hui, par exemple, j'ai dressé l'inventaire de mes peurs : d'où viennent-elles ? comment m'empêchent-elles de fonctionner ? comment affectent-elles ma vie ? Ensuite, il ne restera que la liste de mes qualités et de mes points forts. Après, j'aurai terminé. Je n'arrive pas à croire que j'aurai enfin fini.

Je sais que la vie va encore me jouer quelques mauvais tours. Mais je me dis : « Je suis impuissante devant telle ou telle chose. Que faire alors ? Je ne peux que me tourner vers une Puissance Supérieure et lui confier ce qui ne va pas. N'est-ce pas exactement ce qu'il faut faire ? C'est *cool*... » Les Étapes me font aujourd'hui prendre conscience que je peux me détester, mais aussi m'aimer et m'accepter. Les Étapes m'ont aidée à développer mon estime de soi ; elles m'ont montré que ça ne sert à rien de n'en faire « qu'à ma tête » parce que la tête est, je vous le jure, un lieu dangereux où je ne dois pas rester seule. Les Étapes m'ont fait enfin comprendre que j'ai toujours un choix. Je suis impuissante face à ma première pensée, mais j'ai alors un choix : je peux la confier. Laissez-moi vous dire que le jour où j'ai découvert la recouvrance, je n'avais pas beaucoup d'estime pour la personne que j'étais. Mais tout a changé. Il y a encore beaucoup de place à l'amélioration, mais ce que je vis est fantastique. J'ignorais presque tout de l'ouverture d'esprit, de la sagesse, de la spiritualité que j'ai en moi. Très lentement, je deviens un petit peu plus celle que je veux être. Très lentement, j'apprends à aimer la personne que je suis, et c'est merveilleux !

Rien de tout cela ne serait arrivé si je n'étais pas devenue abstinente. J'imagine sans difficulté la vitesse à laquelle je plongerais dans la misère si je recommençais à consommer. J'aime mieux ne pas penser à tout ce à quoi il me faudrait renoncer s'il fallait que ça arrive. Rares sont les moments où le besoin de consommer refait surface. Cette obsession m'a enfin quittée. Pouvez-vous le croire ? Je suis aujourd'hui plus riche que je ne l'ai jamais été. L'argent rentre régulièrement et je fais des économies, pour une voiture…

Ma relation avec Dieu, ma Puissance Supérieure, est tout simplement quelque chose de phénoménal ! Quand je néglige cette relation, je sens comme une « absence », je ne suis plus tout à fait à mes affaires. Si je veux revenir, je le peux. Je suis libre de choisir. Dieu m'a comblée de tant de bonté depuis que je suis en recouvrance ! Je suis vraiment bénie. Vraiment. On prend tellement soin de moi. Je n'ai qu'à demander de l'aide pour l'obtenir, surtout quand ma demande est pressante, quand j'ai besoin d'un signe particulièrement évident. Chaque fois que ma volonté est en accord avec le dessein de Dieu, j'en tire quelque chose de positif, je grandis. Tant de miracles ont lieu.

Le soutien de ma mère a été quelque chose de génial, super. Au mois de novembre dernier, elle m'a aidée à comprendre qu'il n'appartenait qu'à moi de devenir la personne que je veux être. Elle a dit quelque chose comme : « Tu prends conscience [de tes problèmes] et tu te méprises pour ça. Tu devrais plutôt te féliciter d'avoir le courage de regarder ta réalité bien en face. » Elle est *too much* ! *Too much* !

Ma relation avec Jeanne a ses hauts et ses bas. Mais quand nous sommes sur la même longueur d'onde, nos échanges sont fréquemment ponctués de : « Mais c'est exactement la même chose pour moi ! » Ça ne pourrait pas aller mieux entre nous. On se redit sans cesse que ce qui nous arrive tient du miracle.

Sans les relations humaines que ce programme m'a permis de nouer, je ne pense pas que je pourrais persévérer dans la recouvrance. Je ne pense pas que Dieu et moi y serions arrivés seuls.

Chapitre Trois

Justin

Dix mois d'abstinence

Collégien

19 ans

Je n'ai que d'heureux souvenirs de mon enfance. C'est vrai ! Je m'entendais bien avec mes parents — avec ma mère surtout. Je sentais que je pouvais tout lui dire. Mon père criait fort et battait durement ses garçons. Mon frère et moi gardions nos distances avec lui. Mon frère a un an et demi de plus que moi. Ce n'est qu'à l'adolescence que les volées ont cessé. Nous avons bien eu, mon frère et moi, nos petites chicanes et nos petites rancœurs, mais je continue aujourd'hui à croire que nous étions les meilleurs amis du monde : on partageait la même chambre, on était toujours ensemble. C'est à l'école qu'on a commencé à aller chacun de son côté. On devait être à la fin du primaire à ce moment-là.

Nous habitions une petite localité située à une heure de route à l'est de San Francisco. J'y suis resté jusqu'au début du secondaire. J'adorais ce coin de pays. Les gens avaient les pieds sur terre, comme à la campagne. Les voisins savent qui vous êtes et vous savez qui ils sont.

Mais mes parents estimaient que le système d'éducation était meilleur à Pleasant Valley, quelque vingt-cinq minutes de chez nous. Mon frère et moi avons commencé à faire le trajet à cette école — et mes parents ont mis la maison en vente. Mais elle ne s'est vendue que deux ans plus tard. Je ne crois pas que mes parents pensaient que ça prendrait autant de temps. Ça a été une période difficile parce que l'expérience m'a donné le sentiment d'être un déraciné. Je vivais heureux avant de changer d'école. Je n'aimais pas beaucoup Pleasant Valley. J'ai perdu de vue mes anciens copains parce que je ne les voyais plus à ma nouvelle école et je ne pouvais pas rester après la classe pour jouer avec mes nouveaux amis. C'est dur de se faire des amis dans ces conditions. Le déménagement ne faisait pas du tout mon affaire et mon humeur le disait bien. C'est à ce moment que j'ai commencé à me sentir mal dans ma peau. Mais avant l'histoire du déménagement, je peux dire que j'étais très heureux.

J'étais au secondaire quand la famille au complet s'est installée à Pleasant Valley. Peu après, tous mes anciens copains avaient disparu. J'ai commencé à consommer avec la première personne que j'ai rencontrée quand je suis arrivé là-bas. Je prenais un verre de temps en temps. Je connaissais ça, l'alcool. J'avais partagé quelques fois, en cinquième année, une bouteille de bière avec un copain. Mais, contrairement à mon frère, je n'aimais pas particulièrement la bière. Je me rappelle avoir été en première année du secondaire quand j'ai commencé à piquer, de temps en temps, une ou deux gorgées du vin que mes parents gardaient au frigo. C'était rigolo de leur chiper du vin. Dans ma tête, l'alcool faisait macho et je me faisais un point d'honneur d'en consommer. En autant que je me rappelle, je ne cherchais pas à m'enivrer. Je faisais ça juste pour rire.

Vers le milieu de ma première année du secondaire, j'ai de nouveau changé de groupe d'amis. Je fréquentais des types qui consommaient de la drogue. J'étais curieux. Je savais qu'ils fumaient de la mari et je trouvais ça *cool*, je voulais être comme eux. Je voulais qu'ils m'acceptent parmi eux. Et puis, un jour, sachant qu'ils allaient consommer, je les ai suivis. Ce fut mon premier contact avec la mari. J'ai aimé, adoré, « l'effet » ! Souvent, la première fois qu'on fume, on ne sent rien. Mais je ne crois pas que ça ait été mon cas. Cette seule occasion a suffi à me convaincre que j'étais définitivement un accro. La sensation d'avoir enfin trouvé des amis, de faire partie des « initiés », me remontait le moral. Tout ça était *cool*. L'idée dans tout ça était de me sentir bien.

Au printemps, je me suis cassé une jambe et ça m'a forcé à ralentir un peu. Je ne sais pas trop ce qui m'a poussé, mais quand la fracture a été guérie, je suis retourné voir mes premiers amis de Pleasant Valley, avec qui j'ai commencé à prendre un verre assez régulièrement — quelque chose comme deux à trois fois par semaine. La plupart de cet alcool provenait directement des cabinets de nos parents. Un jour, on est tombé sur un abri antiatomique abandonné où on a découvert une ancienne cave à vin. On a été un bon moment sans avoir à manœuvrer pour les ravitaillements. C'était du très vieux vin, probablement de l'excellent vin. À l'époque, je ne fumais pas beaucoup. Une fois de temps en temps. C'est tout.

Ça s'est passé comme ça pendant un certain temps. Et puis un jour, je me suis engueulé avec un copain et on m'a écarté du groupe. Lorsque j'ai commencé ma deuxième année du secondaire, je suis retourné voir mes amis qui consommaient. Un jour, je me suis complètement défoncé et c'est à ce moment que j'ai compris que ce serait, pour moi, comme ça dans la vie. Le rythme de ma consommation s'est accéléré. Je prenais de la drogue de trois à cinq fois par semaine. Peu après, je fumais tous les jours, et ce, presque chaque semaine. Il m'est arrivé de voler pour payer, mais la plupart du temps, c'est mon argent de poche qui faisait les frais. Ce sont des amis et des personnes plus âgées que moi qui me vendaient ma came. Je vénérais littéralement les revendeurs de mari. Je souhaitais un jour devenir aussi *cool* qu'eux. Tous les copains avaient de la considération pour ces « vieux de la vieille ».

L'effet de la mari me plaisait, mais l'idée d'être un type qui en consomme — l'idée d'être *cool,* quoi — me plaisait bien davantage. J'aimais aussi le fait que la mari m'aidait à me détendre, qu'elle me faisait rire pour rien. Un jour, j'ai fumé avant d'entrer dans l'école. Le directeur nous a-t-il vus ? Toujours est-il qu'il nous a demandé de lui souffler au visage. Je pense que ce test a levé ses doutes, mais il n'était pas en mesure de prouver quoi que ce soit. Un peu plus tard, il découvrait ce qui restait du *joint* dont on s'était servi, mais il n'a pas bougé. C'est la première fois de ma vie que je me suis dit que je devrais peut-être arrêter de consommer. Je pense bien que j'ai été un mois sans mari. Et puis, un beau jour, j'ai dit : « Pourquoi pas ? » Spontanément, sans raison valable, je venais de recommencer à fumer.

La drogue a resserré son emprise sur moi le jour où j'ai commencé à la fumer à l'école. Ça m'a causé quelques difficultés, mais rien de bien sérieux. Je me rappelle les cinq jours de suspension qu'on nous a collés quand on s'est fait prendre à boire de la bière pendant une partie de football. Mais ça n'a pas changé ma façon de penser.

Vers le milieu de l'année scolaire, je commençais à penser que la mari avait quelque chose de routinier et ça m'ennuyait. J'ai connu un type qui ne jurait que par l'acide et il m'a fait connaître ça. J'ai très énormément aimé ! On aurait dit l'effet de la mari, mais en beaucoup plus intense. Je n'avais jamais vraiment *trippé* aussi fort. Je voyais se succéder dans l'air des formes et des motifs bizarres. Parfois, avec mon nouveau copain, on allait dans Berkeley où, sur la rue, on pouvait acheter des *buvards* d'acide. C'était risqué. On le savait. Les vendeurs et leur came ne sont pas toujours très sûrs. Mais ça ne m'a jamais empêché de consommer du LSD toutes les fins de semaine. Au bout de quatre ou cinq mois, je me suis lassé de cette drogue, comme je m'étais auparavant lassé de la mari. L'effet du LSD ne m'incommodait pas du tout — j'adorais ça — mais j'ai commencé à diminuer les doses quand je n'ai plus aimé les sentiments qu'elle faisait monter en moi.

En même temps qu'un gars me faisait découvrir le LSD, quelqu'un d'autre me faisait découvrir le *crank (speed)*. La première et la deuxième fois que j'en ai pris, je n'ai pas aimé — ce qui ne m'a pas empêché d'en reprendre. Et puis, c'est parti ! Je pouvais enfin parler à tout le monde sans gêne. Je pouvais penser n'importe quoi, je pouvais faire n'importe quoi. J'ai commencé par en prendre une fois toutes les deux semaines. J'ai fait une exception : la dernière semaine des examens avant de finir ma troisième année du secondaire, j'en ai pris tous les jours. J'ai aussi essayé, au cours de l'été, la cocaïne et le nitrous, mais je n'ai pas beaucoup aimé.

C'est en quatrième année du secondaire que j'ai recommencé à fumer de la mari régulièrement. C'est la drogue dont j'aimais le plus l'effet. Tout le reste était trop *flyé* pour moi. Le *pot* a pour moi toujours été une espèce de moment pour « arrêter et succomber à l'euphorie ». Je fumais en me levant, à l'heure du lunch et quand je revenais à la maison. La came ne coûtait pas cher. Ça a duré à peu près un an.

Quand j'y pense ! Je lisais l'information sur les drogues que les gens du système d'éducation nous mettaient alors entre les mains et j'étais convaincu que ça n'avait rien à voir avec moi — et encore moins avec ce que je savais sur la mari. Pour les drogues dures... je ne dis pas. Mais comme je ne touchais plus aux drogues dures, je rejetais tout ce qu'ils essayaient de nous communiquer. Et puis je pensais que mon expérience personnelle valait mieux que ce qu'ils affirmaient. La vérité est que mon expérience ne valait rien. C'est vrai ! Mais j'étais bien loin d'en être conscient à l'époque où j'allumais un *joint* avec les amis.

Je n'arrivais pas à penser que la mari pouvait me nuire en quoi que ce soit. Ma philosophie dans la vie ? Être gentil et ne jamais rien bousculer. Laisser la vie s'écouler doucement. Je pensais à mon frère qui faisait tout le temps un imbécile de lui. Il était toujours à couteaux tirés avec mes parents. Moi, je ne mêlais jamais la mari à ma relation avec mes parents. Aujourd'hui, je sais que ce n'est pas vrai. En effet, la drogue me forçait à leur mentir, à leur cacher des choses. J'ai toujours été gentil avec eux, même quand tout allait tout croche. J'étais beaucoup plus tranquille que mon frère et c'est pourquoi ça a été plus facile pour moi de manipuler mes parents, de leur faire croire que tout allait très bien dans ma vie. J'ai fait bien pire et ils ont avalé ça comme si de rien n'était, simplement parce que les apparences étaient pour moi.

J'étais convaincu que je fumais de la mari parce que c'était plus amusant que de ne pas en fumer. En tout cas, je ne croyais sincèrement pas que la mari pouvait être un problème. Du moins, pas jusqu'au jour…

Mon frère est entré en désintoxication dans un centre spécialisé au cours de ma deuxième année de collège. C'était très sérieux. Il était hospitalisé et mes parents et moi devions participer à des sessions de thérapie familiale le samedi toute la journée et le jeudi soir. Moi, je consommais toujours, et, bien sûr, mes parents ne s'en doutaient même pas. En thérapie, je disais que j'avais déjà consommé de la mari, mais que je n'en consommais plus maintenant. La veille où mon frère allait recevoir son congé, il a profité de la dernière session pour me confronter : « Tu consommes présentement et je pense que tu as aussi besoin d'aide. » Depuis qu'il avait entrepris son traitement, il n'avait pas cessé de répéter à mes parents que j'étais un drogué. Il aura fallu cette ultime session pour que mes parents consentent à ce qu'il m'accuse ouvertement. Un fils en thérapie, ça pouvait aller, mais un deuxième, c'était peut-être beaucoup leur demander en si peu de temps.

J'ai nié, bien sûr. Je répétais que je ne consommais pas régulièrement. Je me justifiais en me disant : « Je vais arrêter tout de suite si je n'ai pas à entrer en *détox*. » Et je ne plaisantais pas ! Je ne me sentais d'ailleurs nullement mal à l'aise ou coupable de leur mentir effrontément — même si ça faisait des semaines qu'on me sermonnait sur la maladie, sur la manière dont elle déforme la pensée. Moi, je ne démordais pas de mes positions. Je me justifiais et je rationalisais en disant n'importe quoi — comme la drogue m'avait montré à le faire.

Je croyais dur comme fer que j'allais renoncer complètement à la drogue au moment même où on me laisserait sortir de cette foutue maison.

Ça n'a pas été le cas. On m'a obligé à y rester. J'ai été hospitalisé pour une période de douze jours. Au début, ça ne me paraissait pas croyable d'avoir un problème avec la mari. Une semaine plus tard, ça commençait à me paraître un peu croyable. Je pense que c'est parce que ça carburait mieux dans mon cerveau. J'ai beaucoup appris au cours de ces douze jours. Et puis le personnel a décidé que j'étais prêt pour le programme externe. Je suis allé au centre tous les jours pendant presque une année et demie. J'ai aussi continué à participer aux sessions familiales du suivi thérapeutique de mon frère, chaque semaine.

J'ai pris goût à la recouvrance. Mon frère et moi assistions à des réunions anonymes. Nous étions tous deux abstinents. On se serrait les coudes. Il passait me prendre en voiture. Ni lui ni moi n'avions d'amis — en tout cas, pas au début. Mais je m'en suis fait des nouveaux au cours de mon suivi à l'externe. Je m'entendais plutôt bien avec eux. Je crois que l'idée d'être honnête envers moi et envers les autres me plaisait. Je ne me voyais plus comme un vulgaire drogué. J'ai commencé à penser que je valais mieux que ça : plus besoin de consommer pour m'amuser. J'aimais bien être sobre et abstinent de toute drogue. Ça m'a permis de faire de l'escalade et du vélo de montagne, des sports que je n'aurais jamais même pensé pratiquer avant. Le seul sport qui me venait à l'esprit, quand je consommais, c'était de regarder les étoiles. Mais tout ça a changé depuis que je suis abstinent.

Vers la fin de mon suivi à l'externe, j'ai commencé à fréquenter de plus en plus souvent les réunions anonymes. Mon frère a reçu son diplôme et s'est inscrit à une autre école un an après mon entrée en thérapie. J'ai fidèlement assisté aux sessions hebdomadaires de thérapie familiale jusqu'au jour où on a convenu que je n'en avais plus besoin. J'assistais à deux ou trois réunions des AA ou des NA par semaine. J'avais même commencé à travailler par écrit la Sixième Étape avec un parrain. Et puis, deux ans après ma cure de désintoxication, j'ai tout arrêté. Je ne sais pas pourquoi.

Quelque chose s'est produit à l'époque. Je fréquentais un centre universitaire où j'ai rencontré un de mes ex-amis de consommation. Il m'a souvent invité à fumer avec lui mais j'avais toujours refusé. Un jour cependant, je me suis dit : « Ben, j'haïrais pas ça goûter de nouveau à mon ancien mode de vie. » Et nous avons fumé tous les deux. Mais tout le temps que j'ai été sous l'effet de la mari, je pensais : « Mais à qui je vais dire ça ? À qui ? Et puis, je n'ai pas besoin de ça dans ma vie. J'ai travaillé tellement fort pour arriver où je suis. Je n'ai vraiment pas besoin de ça ! » Fumer ne me faisait plus le même effet. Tout à coup, j'ai compris que ce n'était plus ma place. C'est la seule fois que c'est arrivé et ça m'a fait très peur. Ça m'a fait vivre beaucoup de culpabilité. Quelques minutes avaient suffi pour foutre en l'air deux années et presque trois mois d'abstinence. Le soir même, j'assistais à une réunion anonyme où j'ai parlé de ma rechute.

J'ai aussi, tout de suite après, passé beaucoup plus de temps dans les salles de réunions. J'ai fait des connaissances avec des tas de gens. Je participais activement à toutes les activités. Puis, j'ai graduellement diminué. Depuis un bout de temps, je n'assiste à une réunion qu'une semaine sur deux. C'est encore ainsi aujourd'hui.

Je suis encore des cours dans le même centre universitaire. C'est comme si je terminais l'équivalent du cours collégial qu'on dispense dans les écoles publiques. Je n'ai pas souvent revu mon ex-copain de consommation. On n'a jamais été dans le même cours. Je n'ai que deux cours par semaine et je travaille le reste du temps. La plupart des étudiants suivent leurs cours, apprennent quelque chose et s'en vont ailleurs. Personne ne semble avoir de temps pour faire le *party*. C'était beaucoup plus difficile de ne pas consommer à l'école publique. Beaucoup, beaucoup plus ! Je trouve ça encore dur de ne pas fumer maintenant, mais au moins, c'est plus facile qu'avant.

Le fait que je n'ai travaillé que six des Douze Étapes me fait un peu peur. Je fréquente toujours les mêmes réunions. Essentiellement, celles où il y a beaucoup de jeunes. J'aimerais bien finir mon travail sur les Étapes, mais… J'ai une Puissance Supérieure, et j'ai fait le choix que ce ne soit pas Dieu. C'est juste quelqu'un, là-haut. La spiritualité n'est pas ce qu'il y a de plus fort dans mon rétablissement. Ce n'est pas quelque chose sur quoi je me suis sérieusement penché depuis que je suis en recouvrance. Je m'en sers parfois, mais seulement quand je pense que c'est absolument nécessaire. Quand j'ai eu besoin de ma Puissance supérieure, je peux dire qu'elle a toujours été là. En un sens, elle est très réelle : je sais que je n'aurais jamais pu arriver où j'en suis par mes propres moyens. Mais il m'arrive encore d'en douter.

Au début de ma recouvrance, ça n'a pas été facile d'en venir à admettre que j'étais dépendant de la drogue. J'étais tellement sûr de n'être qu'un consommateur amateur, je ne pouvais pas imaginer que je dépendais de la mari pour vivre. Le coup a été dur à encaisser. Je pensais que je ne faisais qu'abuser un petit peu de la drogue. En fait, j'étais tout ce qu'il y a de plus dépendant. Le temps des crises, où il me prenait des rages obsédantes de consommer, est fini. Quand ces idées me trottent dans la tête, j'en parle aux réunions, je lance un appel à l'aide à ma Puissance Supérieure et je me mets à prier. C'est d'en parler aux autres membres qui me fait le plus de bien. Ça fait presque un an maintenant que j'ai eu une rechute et je suis plus que jamais convaincu que je ne dois plus jamais consommer. Je pense que j'avais sans doute besoin de passer par la rechute pour comprendre ce qu'était vraiment la drogue, pour réaliser ce que je voulais vraiment. Tout n'est-il pas de savoir ce qui est bon pour soi ? Pour moi, l'important est de rester abstinent et de mettre les Étapes en pratique — même si on ne va pas aux réunions ou si on ne lit pas les publications des AA. Il faut simplement que les Étapes restent quelque chose de fondamental dans sa vie.

Aujourd'hui, je fréquente surtout des gens qui ne consomment pas. Quelques copains de consommation ont joint les rangs de la recouvrance. Malheureusement, des tas de gars, qui se sont pourtant désintoxiqués en même temps que moi, ont repris de la drogue et ne sont pas encore revenus au programme de recouvrance. Aujourd'hui, la plupart de mes amis ne sont pas des dépendants. Mais ils connaissent le mouvement. Certains m'accompagnent parfois dans les réunions.

Il ne fait pas de doute que ma relation avec mes parents s'est récemment beaucoup améliorée. Je m'entends beaucoup mieux avec mon père. Mes vieux ont beaucoup appris lors des sessions de thérapie familiale. Ils ont changé eux aussi. Je suis plus honnête avec eux et je me confie plus facilement qu'avant, quoique je ne leur ai pas encore parlé de ma rechute. Je pense que ma recouvrance est une affaire qui ne concerne que moi. Ça serait bien qu'ils s'impliquent davantage dans le mode de vie des Douze Étapes, mais cette décision n'appartient qu'à eux.

Qu'est-ce que j'aime dans l'abstinence et la recouvrance ? Essentiellement le fait que je n'éprouve plus le besoin de consommer. Avant, je n'arrivais jamais à me débarrasser de ça. Et l'ivresse de la recouvrance est plus intense que l'ivresse de la dépendance. C'est comme si c'était devenu normal pour moi de ne pas consommer. J'aime faire des choses qui ont rapport avec la nature. J'aime l'escalade et le vélo de montagne. Je n'aurais jamais commencé à pratiquer ces sports si j'avais continué à consommer. J'aime maintenant former des projets et les mettre à exécution. Avant, mon seul projet était de trouver un coin pour ne rien faire et consommer. C'était quand je regardais la vie passer. Aujourd'hui, en recouvrance, j'ai appris à mordre dedans à belles dents.

Je me suis fixé un seul but : rester abstinent le plus longtemps possible. Je n'arrive pas encore à faire des projets pour l'avenir. Je sais seulement que la recouvrance est quelque chose de très important pour moi. Depuis que je suis abstinent, je me sens un être humain à part entière, je suis plus confiant en moi-même et dans ce que je peux entreprendre. La sobriété me rend heureux. C'est tout ce qui compte, non ? Je suis heureux. Que demander de plus ?

CHAPITRE QUATRE

Hubert

Un an d'abstinence

Avocat

47 ans

Ma mère et mon père étaient alcooliques ; mon père ne buvait plus, mais il n'avait aucun mode de vie. Il s'est arrêté de lui-même, un jour — et il a passé le reste de sa vie à se battre contre la soif. Il ne connaissait pas les bienfaits du mouvement des AA. J'ai compris ça il y a quatre ans, quand j'ai découvert le mode de vie de la recouvrance. Avant, je pensais que notre vie de famille était un désastre.

Maman et papa avaient respectivement dix-huit et vingt et un ans quand je suis venu au monde. Ma sœur est née quatre ans plus tard. Papa était un sportif et un bon homme d'affaires. Chaque fois que je le contrariais, j'avais droit à une raclée en règle. Il ne ratait jamais une occasion. Maman était belle comme une déesse. Nous sommes juifs, mais notre famille a très peu pratiqué la tradition hébraïque. Papa était athée. Maman ne pensait qu'à s'amuser. Le mariage ne l'a jamais empêchée de coucher à gauche et à droite. Papa avait une maîtresse qu'il a fini par épouser d'ailleurs. Le mariage de mes parents a été une catastrophe. J'étais la plupart du temps laissé à moi-même ! Ils ont divorcé un peu après ma *barmitsvah*.

J'ai un souvenir qui, en gros, témoigne à merveille du climat de mon enfance. Cette aventure m'a fait perdre tout ce qui pouvait me rester d'innocence à l'époque. J'avais neuf ans et je jouais aux quilles dans une équipe qui avait organisé une petite fête. Maman était sensée me prendre et me ramener à la maison, mais elle ne s'est jamais pointée. Je ne pouvais plus attendre et j'ai téléphoné à papa. C'était un samedi, il travaillait. Il a piqué une colère noire ! Il est venu me prendre et nous sommes partis chercher maman. On l'a enfin trouvée dans un bar ; elle prenait un verre avec ses amies. Papa s'est mis à hurler et moi, à pleurer. Je ne m'explique pas qu'il ne s'en soit pas pris à moi ce jour-là. Maman, vous savez, ne s'est jamais excusée. Elle a tout simplement répété qu'elle avait le droit de prendre un verre avec des amies.

En un mot, maman n'a jamais eu de temps pour moi — ni avant ni après son divorce. Aux yeux de mon père, je n'étais pas « assez homme ». S'il avait eu la possibilité de se choisir lui-même un fils, je ne crois pas qu'il m'aurait choisi. Enfant, j'ai connu la souffrance de ceux que les parents rejettent ou ignorent parce qu'ils ne sont jamais « à la hauteur ».

Nous célébrions les fêtes juives en buvant du vin casher *Manischewitz*. Ce vin a inauguré ma carrière de buveur. Je devais alors avoir quatre, cinq ou six ans. J'aimais le vin. J'en buvais tant qu'il y en avait. J'aimais la griserie de l'alcool. J'en avais toujours envie et j'attendais avec impatience toutes les fêtes juives parce que je savais qu'il y aurait du vin. Je crois que la télé a été la deuxième manifestation de la dépendance dans ma vie. J'ai passé des heures entières — des jours complets ! — devant le petit écran. À l'école, je n'avais qu'un seul ami.

Je ne faisais jamais mes devoirs. Je faisais partie de ceux à qui les profs ne cachaient pas leur désappointement en disant : « T'es très doué et très paresseux ! »

On habitait le riche quartier juif de l'un des grands centres de la Côte Est des États-Unis. Parmi mes copains de quartier, un seul d'entre eux, à ma connaissance, appartenait à une famille plus riche que la nôtre. Mais cette vie de château ne durait pas toute l'année.

Nous avions, disions-nous, une résidence d'été. Les gens autour vivaient là à l'année. Je n'avais pas d'amis parce que j'ignorais les expériences que les autres garçons de mon âge partageaient tout au long de l'année. J'étais un étranger parmi eux, comme je l'étais pour les copains de mon quartier huppé : j'ignorais tout de leurs jeux d'été. J'étais toujours, chez les uns comme chez les autres, celui qui est de trop.

Quelque chose me disait alors que j'étais différent. J'ai passé énormément de temps tout seul, à l'époque. Je meublais parfois cette solitude en me créant des mondes de rêves et de fantaisies où j'étais comme le bras droit de Dieu, presque un dieu moi-même. On comprend pourquoi je ne me sentais pas très près des garçons de mon entourage. Je voulais être quelqu'un de spécial pour un autre. C'était Dieu mon pote. Lui seul reconnaissait et appréciait qui j'étais. Ma relation avec Lui n'avait rien à voir avec la religion. Je détestais aller à la synagogue. Il y avait, là-bas, parmi les religieux hauts gradés, un homme dont ma mère était la maîtresse. (Ils étaient pourtant mariés l'un et l'autre.) Je ne pouvais pas supporter tant d'hypocrisie. Le sentiment de ne jamais être à ma place nulle part m'a suivi presque toute ma vie.

C'est à l'école secondaire que j'ai commencé à boire régulièrement. À 19 ans, j'entrais à l'université. Peu après, en compagnie de quelques amis de la résidence où nous logions, nous décidâmes d'expérimenter la marijuana. En 1966, la mari était aussi difficile à se procurer que l'héroïne aujourd'hui. En acheter n'était pas une mince affaire ! Ça prenait du temps pour en trouver.

Je me rappelle la première fois que j'en ai achetée. J'étais dans un bar à boire un verre avec mes nouveaux copains. Nous savions que le type assis au bar en vendait. Je me suis faufilé jusqu'à lui. J'étais convaincu que la place était infestée d'agents du FBI et de la police. Je lui ai demandé s'il faisait des affaires et il a dit : « Oui. » Je lui ai dit que je voulais de la marijuana et il a répondu : « Bien sûr ! » J'ai plongé la main dans ma poche, mais il a fait un geste en disant : « Non, pas ici ! » Et nous nous sommes coulés dehors, dans la ruelle arrière. Je m'étais entendu avec les copains ; je leur avais dit de me rejoindre à l'appartement s'ils le voyaient revenir tout seul dans le bar.

Le sac en ma possession, je n'avais qu'une idée : filer. Et vite. Mais le type a insisté pour que je me prononce sur la qualité et j'ai dû ouvrir le sac et humer le contenu. Cette herbe aurait bien pu être du gazon provenant de l'une des pelouses avoisinantes ! Quelle différence pour moi, je n'y connaissais absolument rien ! Je ne pensais qu'à fourrer le sac au fond de ma poche et déguerpir.

Quand je suis arrivé à la résidence, j'avais le cœur en chamade et j'étais au bord de la syncope. Je pensais que je venais de commettre un crime grave. Je n'avais jamais osé me mettre les pieds dans les plats — mon père m'aurait tué. J'ai fermé toutes les portes à clé. Quand j'ai entendu des bruits de pas, je me suis doublement assuré que c'étaient mes copains. On a fermé les stores et on s'est enfermés dans l'une des chambres. On a verrouillé les fenêtres et posé une lampe sur le plancher. La paranoïa, dans l'air, était incroyable ! Il fallait absolument n'être vus par personne.

Je dirais que j'ai aimé, mais ce mot n'est pas assez fort. J'ai *adoré* l'ivresse qui m'a envahi. Je ne pouvais cependant en dire autant du mal qu'il m'a fallu pour entrer en transe. Je ne fumais pas la cigarette et il m'a fallu un peu de pratique avant de fumer sans tousser comme un poitrinaire à l'agonie.

Deux semaines ne s'étaient pas écoulées qu'on fumait sur le balcon, au grand jour. On en prenait tout le temps. On prenait aussi du LSD, quand on pouvait en trouver. J'ai consommé avec eux jusqu'en 1967, année de mon départ.

On se rendait même aux réunions d'information sur la drogue que parrainait le service de police, après avoir fumé quelques joints. C'était l'époque où on essayait de vous faire croire qu'un joint rendait fou. Les gens racontaient qu'avec un ou deux *joints* de mari, l'héroïne vous attendait au détour. Nous savions que ça n'était pas vrai. Ça faisait des mois que nous consommions de la mari et personne n'avait jamais changé pour une drogue *dure*. Le LSD, bien sûr, ne comptait pas... J'écoutais les flics en me disant : « Mais pourquoi font-ils tant d'histoires pour une substance qui me fait tant de bien ? »

J'ai terminé mon premier semestre avec 1,7 de moyenne. La deuxième année, j'ai décroché 3,0 ! Je fumais beaucoup la mari alors. N'était-ce pas la preuve que cette drogue n'empêche personne de fonctionner ? J'étais au contraire au sommet de ma forme ! Ma performance au gymnase était impeccable. Jamais on ne m'avait vu en état d'ébriété. (La mari avait remplacé l'alcool.) Je me disais : « Tout le monde devrait en fumer, c'est une merveille ! » Pour moi, la société se divisait en deux : ceux qui fument de la mari et ceux qui n'en fument pas. Point. Je venais de trouver une appartenance, je venais de trouver ma place. On me trouvait drôle. C'était parfait.

C'était en 1969. J'ai changé d'université pour épouser ma petite amie de cœur du secondaire. Ce mariage a sans doute été la pire bêtise de toute ma vie. Six mois ne s'étaient pas écoulés que nous étions devant un conseiller matrimonial. Je ne pensais qu'à me sortir de ce mauvais pas. Mais elle pleurait sans arrêt. J'ai dit que j'allais rester.

J'ai souvent réfléchi à tout ça. Aujourd'hui, je comprends que ma première femme était une sorte de trophée. Elle était toute de beauté. Tous les gars la voulaient, mais c'est *moi* qu'elle a épousé ! Mais elle était aussi très froide. C'était une pauvre fille, au fond. Je vivais avec une anorexique et je passais mon temps à consommer de la mari. Je crois qu'elle tolérait la mari parce que ça lui donnait le prétexte dont elle avait besoin pour que nous vivions séparés — ce qui faisait, au fond, terriblement son affaire. Moi, je pensais que ce mariage ressemblait étrangement à celui de mes parents. Quel gâchis !

Je pense que c'était en 1997. Je m'étais avachi sur le sofa du sous-sol, j'avais des écouteurs sur les oreilles, je fumais un joint. Et puis, j'ai pensé : « Je fais ce soir exactement comme tous les soirs. Je rentre du bureau, j'avale le médiocre dîner qu'elle m'a cuisiné de mauvaise grâce et je descends ici pour fumer et méditer. » Les vendredis soir, je réunissais quelques amis. On fumait toute la soirée. (Les femmes des copains fumaient parfois avec nous ; la mienne, jamais.) Ma femme ne consentait à se joindre à nous que les samedis soir. Et puis ça a fini par être les samedis après-midi. J'aimais la mari, je pensais qu'elle m'aidait à me « laisser aller ». C'est comme ça que j'ai commencé à fumer les dimanches avant d'aller jouer au tennis. J'étais persuadé que j'expérimentais tout plus profondément sous l'effet de la mari. Je ne prends plus de drogue aujourd'hui, mais je sens, en ce moment même, dans mes tripes, ce curieux et irrésistible besoin d'aller plus loin, toujours plus.

C'est la seule prise de conscience qui m'est venue avant que j'entre dans les AA. Je venais d'admettre que toute ma vie tournait autour du besoin de consommer. Ce soir-là, je me suis dit qu'il fallait que ça cesse. J'ai dit aux copains que j'arrêtais de consommer. Personne ne voulut en entendre parler. J'avais peur de me retrouver seul, encore une fois. J'ai tenu le coup deux semaines. J'ai recommencé en me disant que ceux et celles qui ne fument pas de mari sont de parfaits idiots. Comment diable apprécier la vie quand on n'est pas *gelé* ?

J'ai passé vingt-cinq ans à avoir besoin de prendre de la drogue avant de me motiver à agir. Quand je fumais de la mari, j'étais au niveau d'Einstein et des grands artistes de notre époque. J'avais l'impression de vivre à fond. Quand je prenais un verre, par contre, je me débraillais, j'étais toujours confus, je n'arrivais plus à coordonner mes mouvements et j'étais aussi imprévisible qu'irresponsable.

Je fumais dans ma voiture en pensant que ma technique de conduite automobile au milieu de la circulation s'en trouvait améliorée. Il m'est arrivé de vendre pour certains de mes clients et il m'est aussi arrivé d'échanger des services professionnels pour de la mari. Je n'ai jamais fumé les jours où je devais me rendre au palais de justice ou remplir des papiers. Enfin, presque jamais... Pour moi, fumer était quelque chose de tellement inoffensif.

C'est du moins ce que je pensais jusqu'à il y a quatre ans, quand je me suis rendu à ma première réunion de Codépendants Anonymes (CODA), là même où j'ai découvert la recouvrance. Je pensais que c'était ma faute si mes parents me méprisaient. Je pensais que je ne pouvais, que je ne pourrais jamais rien réussir. À l'école, j'étais toujours le dernier que l'on choisissait pour faire partie d'une équipe sportive ; j'étais trois fois rien. J'avais toujours cru que mon père avait raison de me battre. Après mes études de droit, j'ai entrepris une brillante carrière à travers les États-Unis. J'ai gagné des procès qui ont fait sensation. D'éminents avocats me tiennent depuis en haute estime. Mais ces réussites ne parvinrent jamais à chasser le sentiment d'échec qui m'habitait. Mes parents n'ont jamais reconnu mes succès. Si on les questionne sur leur fils, ils disent qu'il est avocat, mais ils sont bien incapables de préciser la branche du droit qu'il pratique.

Nul doute que le principe actif de la mari s'est beaucoup accru avec les ans. Moi, je n'ai jamais vraiment senti qu'une chose : ça ne faisait plus autant d'effet. J'avais toujours besoin de fumer avant d'aller marcher. Autrement, comment apprécier la beauté des arbres et le chant des oiseaux ? Je me rappelle aussi toutes ces balades en

voiture où je me suis demandé, en fumant un *joint* :
« Qu'est-ce qui ne va pas ? Pourquoi ça ne fait plus effet
qu'à moitié ? J'ai besoin d'un plus gros *buzz*. »

Je ne me suis jamais bien senti sur la Côte Est. Mes
deux premières années à l'université ont été le seul moment de ma vie où je peux dire que j'ai vraiment été heureux dans ce coin de pays. Avec ma première femme, ça a
été neuf ans d'enfer. Aux derniers temps de notre mariage, nous avons consulté une professionnelle. Quatre
sessions ont suffi pour convaincre la thérapeute que nous
ne pouvions plus vivre en couple : nous n'avions absolument rien en commun. Peu après, nous divorcions.

Et Linda est entrée dans ma vie. Je l'ai épousée un
an plus tard. Je conserve de beaux souvenirs de mes premières années avec elle. Seulement, je n'arrivais pas à
être pleinement heureux. J'avais l'impression que c'était
le fait de vivre sur la Côte Est, là où j'avais grandi. J'ai
fait taire mon malaise en consommant de la mari et,
quand j'arrivais à en trouver, avec du LSD. Mais, un beau
matin, au milieu de l'une de mes crises de la quaran-
taine, j'ai dit à Linda : « On vend tout et on déménage. »
Elle était d'accord.

Peu après, je perdais toutes nos économies dans une
affaire que j'avais montée avec un copain. Je voyais en
lui un frère. Quand j'y repense, je me dis que ça ne pouvait pas marcher. Je refusais d'admettre que j'avais des
problèmes avec la drogue, la codépendance et l'inceste.
Je ne sais pas encore ce qui m'a motivé à embarquer dans
cette histoire. Est-ce le besoin d'avoir une famille qui a
fait que je me suis associé avec un homme qui était — et
qui aurait dû rester — un ami. Est-ce la mari qui affectait mon jugement ou le fait d'avoir tant voulu un frère et

l'avoir soutenu pendant 18 mois ? N'étais-je pas plutôt victime de mon problème de codépendance ? La drogue était-elle en cause ? Je n'arrive pas, aujourd'hui encore, à démêler l'imbroglio.

Peu après notre déménagement, Linda et moi avons connu et fréquenté des professionnels qui, comme nous, fumaient de la mari. Pas besoin d'avoir beaucoup d'imagination pour comprendre que je n'étais pas plus heureux qu'avant. Les gens avec qui je travaillais me tombaient tous sur les nerfs. L'idée de consommer me hantait toute la journée. Les fins de semaine, je recherchais la compagnie des amis qui s'adonnaient à la mari. Avec la drogue, on tuait le temps ensemble. Je ne me suis jamais gêné pour fumer dans la maison. Mais quand mon fils a commencé à vieillir, je fumais seulement dans mon bureau au sous-sol, ou dans la salle de bain, le garage, la voiture. Je ne voulais pas qu'il sente l'odeur.

Linda a eu un grave accident de voiture qui lui a fait perdre une partie de son autonomie. À l'époque, j'avais monté une autre affaire qui était sur le point de s'écrouler. J'ai commencé à assister à des réunions de Codépendants Anonymes. Peu après, j'ai changé pour EADA (Enfants adultes de familles alcooliques ou dysfonctionnelles). C'est au club de santé dont j'étais membre que ce mouvement tenait ses réunions. Quand j'ai vu l'annonce, j'ai pensé : « C'est parfait ! Je fais de l'exercice et je suis juste où il faut après. » Les témoignages des membres EADA ont trouvé échos en moi. Certains m'ont bouleversé. J'ai par la suite découvert les mouvements *Incest Survivors*, puis Al-Anon. C'est en 1992 que je me suis résolu à assister à une réunion ouverte des AA. Je ne pensais pas que ce mouvement me convenait, mais j'avais besoin d'une réunion pour discuter des Étapes et l'endroit et l'heure me convenaient.

J'étais convaincu de n'avoir aucun problème d'alcool ou de drogue. Des membres m'ont suggéré de me débarrasser de mes réserves de pot et d'alcool. Je me suis dit que ce serait facile puisque je n'avais pas de problème avec ça. J'étais à cours de mari à l'époque. Je n'ai eu donc qu'à réunir les bouteilles et à les mettre dans un carton pour m'en débarrasser. J'allais m'en défaire quand je me suis dit : « C'est quand même une honte de foutre ça aux ordures. » J'ai donc décidé d'en boire une partie. J'avais fini ma première bouteille et j'allais entamer la seconde quand une grande peur m'envahit.

Heureusement, je m'étais fait des amis dans les AA. J'en ai appelé un à qui je n'ai pas arrêté de parler de ma soif. Personne dans les AA ne vous dira si vous avez, ou si vous n'avez pas, un problème avec l'alcool. Au téléphone, je n'étais plus du tout sûr de ne pas avoir de problème avec l'alcool et la drogue. Une intervenante en toxicomanie que je connaissais m'a dit un jour : « Le fait que vous ayez fumé de la mari chaque jour pendant vingt-cinq ans devrait vous mettre la puce à l'oreille. Êtes-vous bien sûr de n'avoir *aucun* problème ? » Elle a suggéré : « Pourquoi ne vous rendriez-vous pas à une réunion fermée des AA, juste pour voir quel effet ça vous ferait ? » J'y suis allé et je m'y suis présenté en disant que j'étais dépendant de l'alcool et de la drogue, et ce, même si je ne le pensais pas vraiment. Au bout de quelques semaines, les témoignages des membres ont fini par me convaincre : je me suis mis à examiner ma propre dépendance à la drogue.

L'une des choses que j'ai comprises est que, pendant toutes ces années, ma « dose quotidienne de marijuana » a tenu l'alcool en échec. En d'autres mots, n'eût été de la mari, j'aurais vite sombré dans l'alcool. N'avais-je pas, à dix-neuf ans, préféré la mari à l'alcool ? Pourquoi ? Parce que, contrairement à l'alcool, la mari me paraissait une drogue moins débilitante ; elle n'occasionnait pas la gueule de bois et on n'avait pas besoin d'en consommer toute la nuit pour se griser. Avec un seul *joint*, l'ivresse durait des heures. Aucune étude n'affirmait que la mari était une drogue à laquelle on pouvait développer une dépendance. [Moi, ça faisait mon affaire.] Je me disais que la dépendance était l'apanage de ceux qui ont besoin de plus que la mari. D'autre part, je pouvais être de longues périodes de temps sans prendre un verre. N'était-ce pas le signe que je n'étais pas alcoolique ? Et c'est ainsi que, pendant toutes ces années, le déni de la dépendance m'a fait raisonner. Après tout, quand j'avais fumé, je devenais un grand philosophe, mes idées gagnaient en profondeur, je discourais pendant des heures sur le sens de la vie.

J'étais dans les AA depuis six ou sept semaines quand mes affaires m'ont appelé à l'extérieur. Le soir même, une bouteille de vin, cadeau de mon client, trônait sur la table dans ma chambre d'hôtel. J'étais tellement en manque ! Pour la première fois de ma vie, je ne pouvais compenser mon substitut de marijuana, car je n'en avais pas en ma possession. Je n'ai pas dormi de la nuit. Au matin, j'avais compris que la « dose quotidienne de marijuana » que j'ai prise toute ma vie n'avait jamais rien réglé : j'avais tout simplement permis à ma dépendance de se dédoubler. Cette aventure m'a décidé : j'adopterais désormais le mode de vie des AA, j'allais me consacrer définitivement à la recouvrance face à mes dépendances.

Voulez-vous savoir ce que la recouvrance m'a donné ? Elle a sauvé ma vie et mon mariage. Je ne frappe plus mon fils, je ne l'engueule plus comme avant. Je me confie souvent à Dieu. Je ne prends, de mon propre chef, que les petites décisions qui ne portent pas à conséquence. Le reste, je le remets entre les mains de Dieu.

En ce moment, mes affaires sont à la merci d'une série de tatillons bureaucratiques qui paralysent tout depuis des mois. Ça risque de me coûter mon plus gros contrat. Mes liquidités sont dans un état épouvantable ! Je perds ce client et c'est toute ma réputation qui y passe. Pourtant, en ce moment même, je ne suis plus paniqué comme avant. Quand je sens la panique m'envahir, je m'arrête pour méditer ou je me rends à une réunion anonyme. Ça me calme. Ce vent est complètement en dehors de mon contrôle. Je prie pour que Dieu m'accorde la force d'accepter ce qui, pour moi, a été décidé. Je n'aurais jamais agi ainsi à l'époque où je consommais. J'aurais plutôt cherché à prendre le contrôle de la situation tout en essayant de trouver un moyen pour m'affirmer, pour m'imposer. Rien ne m'arrêtait. Mais je sais maintenant que Quelqu'un travaille pour moi. Je n'ai qu'à Le laisser faire et attendre. C'est tout. Je n'aurais jamais agi ainsi il y a un an : je m'acquitte aujourd'hui de ce que j'ai devant moi et je laisse les autres et Dieu s'occuper du reste.

Pourquoi donc ai-je, pendant toutes ces années, délaissé le Dieu de mon enfance, mon seul ami, mon « pote »? Disons d'abord qu'entre l'alcool, la mari et Dieu, j'ai choisi les deux premiers. Mais il y a quelque chose d'autre plus important que je voudrais dire. Quelque chose qui m'est arrivé à dix-neuf ans. J'étais un excellent nageur ; pourtant, c'est dans l'eau que j'ai failli périr. Je coulais. J'ai lutté, j'ai prié : « Dieu, sors-moi de là et je jure que je ne te demanderai plus jamais rien. » Quelques instants plus tard, je refaisais surface et la plage était là, juste à côté. J'étais épuisé. Si la plage avait été hors de ma portée, je crois bien que je n'aurais pas pu m'en sortir. Cette promesse à Dieu, je l'ai tenue jusqu'à 43 ans, à l'âge où je suis entré en recouvrance.

Je me sens un autre homme depuis que je vis selon le programme. Je n'ai plus l'impression que je suis le nombril du monde — et je me sens tellement plus libre. Je sais que je ne suis plus seul à endosser toutes les responsabilités. Je suis en train de découvrir l'humilité. J'ai appris que ça ne sert à rien d'intervenir dans la vie d'un autre. Mais je peux lui dire mon vécu, ma force, mon espoir et espérer que ça l'aide un peu. C'est tout, je ne peux faire plus.

Je repense à ma quasi-noyade et j'en conclus que ce n'est pas ma promesse qui m'a sauvé, c'est Dieu. Pourtant, on ne marchande pas avec Lui. Si Sa volonté avait été de me rappeler à Lui, croyez-vous vraiment qu'un vœu pieux aurait pu y changer quoi que ce soit ? Aujourd'hui, je tire profit de cette aventure. Je veux faire en sorte que la volonté de Dieu s'accomplisse en tout et toujours.

Maintenant, quand j'ai des doutes, je médite et Dieu me répond quelque chose comme : « Va à une réunion et contente-toi d'écouter. » Hier encore, je suis allé à une réunion et j'ai entendu une phrase qui m'a fait beaucoup de bien, exactement ce dont j'avais besoin ce soir-là. L'homme disait : « Je m'acquitte de choses qui sont devant moi du mieux que je peux. Tout le reste est entre les mains de Dieu. » Une parole comme ça, c'est un cadeau du ciel.

J'aimerais bien me libérer du malheur [agression sexuelle] qui me lie à ma mère. Chaque jour, dit-on, nous en révèle davantage. Je sais que Dieu ne nous donne pas plus que nous pouvons en assumer. Je ne doute pas que je serai convenablement outillé le jour où j'aurai à me pencher sur cette question.

Sous l'emprise de la drogue, il me venait certains soirs toutes sortes de pensées profondes dont je n'arrivais pas à reconstituer le sens le lendemain matin. Aujourd'hui, le sens de la réalité ne m'échappe plus. Pourtant, il m'arrive encore de penser que ce serait bon d'allumer un *joint*. C'est comme ces jours où, au cours d'une descente de ski particulièrement difficile, je me dis : « Si seulement j'avais un peu de mari, j'aurais une meilleure coordination, ça irait tout seul. » Si je ne veux pas rechuter, je dois me convaincre que ce désir n'est que la manifestation d'un manque, un appel de la drogue. Ça fait partie de la maladie, il faut seulement que je renonce à passer à l'action.

J'ai une chance inouïe : il y a autour de moi des tas de gens qui soutiennent ma démarche. Ils savent que je ne consomme plus. Ils ne m'offrent jamais de mari, ils respectent ma démarche en recouvrance et se réjouissent de mon abstinence. Tout est une question de choix. Je ne m'entoure que de personnes qui respectent ce que je suis. Je n'ai pas de contacts avec mes parents. La dernière fois que j'ai parlé à ma mère, c'était il y a quatre ans et ça fait deux ans que je n'ai pas parlé à mon père. J'ai besoin d'être éloigné de mes parents : je ne veux plus me détruire.

J'allais oublier. Il y a deux semaines, j'ai fêté — sans marijuana et en grande pompe — pour souligner ma première année d'abstinence complète de toute drogue. C'est sensas ! Je me sens merveilleusement bien ! Et ce n'est que le commencement.

CHAPITRE CINQ

Aman

Quatre ans d'abstinence
Étudiant à l'université
19 ans

J'ai grandi sur le bord d'une plage du sud de la Californie. J'ai pris mon premier verre, punch et vodka, à l'âge de quatre ans. J'ai trouvé ça extra. À 5 ans, notre baby-sitter m'a agressé. J'ai alors compris que j'étais différent des autres enfants de mon âge. J'avais toujours pressenti que je n'étais pas comme les autres et l'aventure avec cette fille n'a fait que confirmer mon sentiment. Cette différence, je l'ai aussi sentie dans le fait que je suis un Américain de souche asiatique. Quand j'étais jeune, je voyais qu'on se moquait, qu'on ridiculisait les Asiates. À cet âge, je ne voulais sous aucun prétexte passer pour un oriental. Dans une certaine mesure, je pense avoir échappé à la malice d'autrui justement parce que je faisais tout pour qu'on oublie mes origines. Je ne voulais pas être remarqué. Je viens tout juste de commencer à accepter mon ascendance asiatique — et c'est encore très difficile.

Je ne me rappelle plus quand ça m'est venu la première fois, mais j'étais très jeune quand je me suis senti attiré par les marginaux, les viveurs. Des films comme *Fast Times at Ridgemont High* m'ont donné le goût de faire partie des branchés, des viveurs, de ceux qui se défoncent. J'enviais les jeunes en âge de fumer de la mari, j'étais impatient de faire cette expérience. Je voulais vivre à un train d'enfer. Ça avait l'air tellement amusant d'être comme ça. J'avouerai aussi que, dans la vie, je ne me suis jamais ennuyé.

J'étais un enfant turbulent, incapable de rester en place. Je n'arrivais pas à me concentrer plus de quelques secondes à la fois — et ça m'a occasionné des tas de problèmes. On m'a élevé en me battant pour des raisons qui échappaient complètement à mon contrôle, parce que j'étais dissipé, par exemple, ou parce que je n'écoutais pas.

Je ne ratais jamais une occasion de faire de l'argent. Nous vivions dans une région où la plupart des enfants de mon âge avaient des jouets de qualité. Je suis très matérialiste. Mes parents m'ont un jour donné une bicyclette achetée dans un magasin bas de gamme. Ce n'est pas parce que l'argent manquait chez nous, mais, avec son sens oriental de l'économie, papa n'accordait aucune importance aux grandes marques. Moi, je voulais être comme mes copains qui avaient des vélos signés par les plus prestigieux fabricants. Je voulais posséder ce que je voyais chez les autres, quoi. C'est ce qui explique que je finissais toujours par vendre mes jouets. J'ai un jour acheté un pistolet de marque BB. Mais je m'en suis lassé et je l'ai revendu, à profit, à un gosse qui le voulait. Je me suis ensuite acheté un autre BB, mais meilleur. Je faisais souvent des trucs comme ça. Je ne voulais pas être en reste avec les amis. Je voulais être le meilleur.

À l'époque de ma quatrième année scolaire, j'écoutais de la musique *heavy métal* et *rock-and-roll*. Mes groupes préférés étaient Quiet Riot, Ozzy Osborne, Def Leppard. Je rêvais d'une vie de rocker. À l'école, j'avais de la difficulté à fournir une attention soutenue ; il a même fallu que j'aille dans une classe spéciale pendant quelque temps. Pourtant, je pouvais écouter du *rock-and-roll* pendant des heures sans jamais me lasser.

Je n'ai jamais pu communiquer facilement avec mes parents. Ils vivaient et pensaient en Asiatiques. Ils respectaient scrupuleusement les traditions. Moi, je ne voulais rien entendre ; je refusais carrément de m'identifier à eux. Alors, je n'ai jamais voulu sortir en famille avec eux. Je crois que c'est parce que j'avais terriblement honte de mes origines. Je faisais tout pour que l'on ne me voie pas avec eux. Je n'arrivais tout simplement pas à échanger de manière significative avec aucun de mes parents.

J'avais aussi peur d'avoir l'air d'un faible — ce qui m'a sans doute amené à cacher mes émotions. Je n'affichais jamais ma colère ; je pensais que j'aurais ainsi exposé ma vulnérabilité. Je me tenais toujours sur la défensive.

Mes premières expériences avec l'alcool remontent à la fin de ma sixième année d'école. J'ouvrais le cabinet de mes parents et je buvais à même les cruches que papa entreposait. Il ne s'en est jamais aperçu et je ne lui en ai jamais parlé. Je faisais semblant, au contraire, de détester l'alcool, pensant ainsi leurrer mes parents. Papa buvait tous les soirs, mais ce n'est qu'à l'époque de ma désintoxication que ce détail m'est revenu à la mémoire.

En première secondaire, je commençais parfois ma journée avec une ou deux gorgées de Jack Daniels. J'avais l'air heureux et passais pour un bon vivant à qui tout

sourit. Trois choses m'importaient cette année-là :
(1) avoir de bonnes notes à l'école pour que mes parents
me fichent la paix, (2) faire partie de ceux pour qui la vie
est une fête perpétuelle et (3) pratiquer l'aqua-planche.
Ce n'est qu'en troisième secondaire que j'ai commencé à
boire beaucoup plus.

J'ai commencé à fumer de la mari en 1985, au cours
de l'été, juste avant d'entreprendre ma deuxième secondaire. Un type plus âgé que moi, qui habitait en face de
chez nous, m'a refilé la came. Il m'a un jour demandé :
« Veux-tu *triper* ? » J'ai dit oui tout de suite. Je voulais
tellement faire cette expérience. J'étais si impatient ! À
l'école, j'avais un jour roulé des joints avec de la cibou-
lette et du persil ! Croyez-moi, j'étais mûr !

Avant Noël, au cours de ma troisième secondaire, je
fumais en solitaire tous les jours. Quelque part entre ma
deuxième et ma troisième année, je me suis mis à faire
de l'aqua-planche. J'étais très doué pour ce sport. Mes
notes à l'école se sont aussi améliorées. On aurait dit que
la mari m'aidait à étudier ; en tout cas, elle m'aidait à
vivre à 100 à l'heure. L'idée d'avoir du sang asiatique me
déplaisait toujours aussi souverainement. Je pensais que
si je faisais preuve d'audace, que si j'arrivais à avoir une
longueur d'avance sur les autres, personne ne remarque-
rait mes origines. Alors que mes rêves étaient en voie de
se réaliser, mes parents m'ont fait part de leur intention
de déménager dans le nord de la Californie, à San Francisco. J'étais tout excité. J'avais tant entendu parler de
San Francisco ! J'avais entendu dire qu'il y avait là-bas
beaucoup d'action.

Quand mes parents m'ont dit que l'on partirait à la
fin de mon année scolaire, je me suis dit que je me défon-

cerais jusqu'au moment du départ, puis que c'en serait fini de la drogue. Je la laisserais derrière. C'était la première fois que je me faisais une promesse au sujet de la mari. Ce n'allait pas être la dernière. Je recevais 30 $ d'argent de poche toutes les semaines. Cet argent servait surtout à acheter la mari que je consommais avec des amis. Il m'arrivait aussi de faire un peu d'argent en travaillant. À l'époque, un bon joint de mari coûtait 3 $ et je n'avais pas besoin d'en fumer beaucoup pour être *gelé*. J'étais un débutant avec la drogue et je n'avais pas encore développé de tolérance. J'ai tenu une partie de ma promesse : avant de partir pour San Francisco, j'ai *tripé* très fort.

La mari demeurait ma drogue préférée, mais je peux dire que j'ai essayé tout ce qui m'est tombé sous la main. Je m'étais donné pour but d'expérimenter toutes les drogues possibles et imaginables. Je n'avais aucune réserve. Ma philosophie ? « Oui, je les essaie toutes. » J'ai même essayé le PCP. Ça m'a fait très peur. N'empêche que j'en aurais repris si j'avais pu m'en procurer de nouveau.

À la fin de mon année scolaire, nous sommes déménagés dans une banlieue située à une heure de route de San Francisco. J'étais anéanti. Et moi qui pensais que nous allions vivre à San Francisco ! Des vaches mugissaient, juste derrière la maison que nous habitions. Pas de plage en vue : fini l'aqua-planche ! Je n'avais plus d'amis et mes parents étaient comme des étrangers. Je vivais l'enfer ! Je me rappelle, peu après notre arrivée, être allé au restaurant avec mes parents. Des gens ont plaisanté en nous pointant. Je ne peux dire à quel point je détestais ce commerce. J'avais tellement honte quand nous sommes sortis du restaurant ! Je voulais mourir. J'ai été longtemps sans dire à personne les sentiments que cette aventure m'a fait vivre. Contrairement à ma promesse, j'avais avec moi une once de mari qui n'a pas tardé à s'envoler en fumée. La belle affaire ! J'avais 14 ans et j'étais déjà en manque.

J'ai trouvé du boulot au cours de l'été. Je touchais 7,50 $ de l'heure. C'est d'ailleurs au travail que j'ai rencontré un étudiant qui était en deuxième année à l'université. Il m'a ouvert les portes des drogues *dures* et j'ai tâté de la cocaïne. Le jour de mon quinzième anniversaire de naissance, je suis allé à un concert de musique rock. Ça durait toute la journée et on pouvait y entendre des groupes comme Van Halen, Metallica, Kingdom Come. On se serait cru au supermarché, il y avait partout de la drogue. Quelqu'un m'a vendu du LSD. Je l'ai rapporté à la maison. Je ne savais pas trop à quoi m'attendre. Je me rappelais vaguement un film dans lequel un type qui en avait consommé hallucinait sur les couleurs en s'écriant « Wow ! » J'ai avalé mon premier *cap* d'acide à 9 h du matin et ça a duré jusqu'à 3 h du matin le jour suivant. Je voulais mourir. J'ai presque failli me suicider. Je revois encore le rasoir entre mes mains. Je n'avais personne à qui parler et je ne savais pas comment me calmer. Ça ne m'a pas empêché de recommencer un peu plus tard.

Cet été-là, j'ai commencé à vraiment m'engueuler avec mes parents. C'était pas joli. Je leur en voulais d'avoir pris la décision de déménager. Je leur en voulais d'être des Asiatiques. Je souhaitais ne plus jamais avoir affaire à eux. Je me querellais souvent avec mon frérot aussi. Il n'avait que huit ans. Mes parents s'interposaient et la chicane reprenait de plus belle entre nous. N'étais-je pas l'aîné ? Ne fallait-il pas que je sois raisonnable ? Ils le défendaient toujours. Toujours ! Mon frère ne s'est jamais mis les pieds dans les plats. Il arrivait, lui, à se concentrer, à rester en place plus de deux minutes. Mes parents ne l'ont jamais frappé. Ce n'était pas mon cas. Si je ne restais pas assis ou sans bouger, j'avais droit à une raclée. Je crois que la jalousie n'était pas étrangère à la guerre que je lui livrais.

À quinze ans, je voyais mes illusions s'écrouler une à une. Je travaillais, je rentrais à la maison, je fumais un peu de mari et je me couchais pour rêver, pour entrer dans un monde où j'étais roi. Depuis que j'étais un tout petit enfant, je travaillais mentalement très fort pour contrôler mes rêves. J'y ai mis beaucoup de temps et d'efforts. Avant de m'endormir, je décidais ce que je voulais voir dans mes songes. J'élaborais des situations complexes et délirantes. Je suis devenu presque un expert en la matière. J'ai toujours eu beaucoup d'imagination. Le monde des rêves était l'exutoire par où je fuyais la réalité. J'ai donc passé cet été-là à travailler, à me *geler*, à dormir, à rêver.

Une autre chose me troublait : je n'avais pas de petite amie. Je pensais qu'il était plus que temps d'en avoir une. J'ai souvent cru que ma valeur résidait dans ce que les autres pensaient de moi. Et s'il n'y avait aucune femme dans ma vie, ce devait être parce que je ne valais rien.

L'année suivante, je commençais mon cours collégial. Mais je n'avais aucune énergie. Il me semblait tout à coup que la vie n'avait plus rien à offrir. Rien ne m'intéressait. Je ne savais plus où j'allais. J'étais toujours déprimé. Je voulais me suicider. Mais j'avais peur de passer à l'acte. Je fumais de la mari tout le temps. J'étais si déprimé que je dormais tout le temps. Pendant deux ans, j'ai essayé de contrôler ma consommation de mari. Peine perdue. Tout dans ma vie me semblait une honte et je n'avais personne à qui parler. Il ne me restait qu'à fuir : je fumais et dormais.

Au collège, j'ai cherché à me lier à ceux et celles qui ne consommaient pas de drogue. Mais à la maison, j'étais bien approvisionné. J'ai commencé à consommer dans la matinée. Ça a été le début de la déchéance. Je m'endormais sur mon pupitre, en classe. Ma moyenne a chuté. Je me querellais sans arrêt avec mes parents. Je mêlais les dates et les jours de la semaine. Je commençais à fumer en me levant le matin et je ne m'arrêtais que le soir quand je m'endormais.

L'hiver qui a suivi, je me suis inscrit à un club de ski. Du samedi matin au dimanche soir, je ne fumais rien. Mais quand la saison s'est terminée, tout a recommencé de plus belle. La revue *High Times* était ma bible. La drogue était devenue une véritable obsession. Une année venait de s'écouler et je n'avais toujours pas de petite amie.

C'est vers le mois d'avril que le goût de la mort a commencé à me hanter. J'étais misérable. Tout me laissait indifférent. J'imaginais des scénarios pour en finir. Je n'arrivais pas à sortir de moi, à vaincre ma peur, à parler sincèrement à une autre personne. J'étais lamentablement seul ! La mari m'aidait à atténuer la souffrance de la solitude. Je me revois, assis dans ma chambre, la porte fermée. J'écoute de la musique *heavy métal*. Je finis par m'endormir. Dire que ma vie se résumait à ça ! Au cours de mes trois derniers mois de consommation, j'ai repris du LSD. Les scènes avec mes parents ont pris une tournure violente. Je m'en prenais à ma mère qui m'enfonçait ses ongles dans la chair. À bout, mes parents me lançaient des objets par la tête. Ou bien, c'est moi qu'on lançait sur les murs. J'étais comme un désespéré qui ne sait pas comment demander de l'aide sinon en s'enfonçant dans la drogue. Mes parents étaient inconscients de ma situation. Ce n'est que trois mois avant que je cesse de consommer qu'ils ont eu l'idée de me faire passer des tests de drogue. Quelle histoire ! Je me rappelle avoir à l'époque consommé beaucoup de cocaïne. On me la livrait directement à domicile. Il me prenait aussi des idées de fumer du *crack*. J'ai même essayé, à deux reprises, mais ça n'a pas marché. Un de mes amis souffrait du diabète. Mon regard s'arrêtait parfois sur les seringues qu'il utilisait. J'ai pensé en voler quelques-unes pour me *shooter* à la *coke*. Il semble que je n'avais qu'un seul but dans la vie : suivre l'ange de la mort et consommer le plus de drogue possible.

J'ai fini par tout perdre : l'espoir, le désir, les rêves d'autrefois. J'ai connu la paranoïa et les crises d'angoisse. Mais ça ne m'a pas ralenti. Je voulais n'en faire qu'à ma tête et, à la moindre contrariété, mon coeur se mettait à battre à toute vitesse et je pensais que c'était la fin du monde. L'idée de devoir patienter pour écouter de la musique ou prendre un repas me mettait en rogne. Je piquais une crise et je devenais hystérique. Je ne pouvais tout simplement pas attendre. J'ai pensé que je sombrais dans la folie, une sorte de schizophrénie affectant ceux qui ont trop pris de drogue.

Le 17 juillet 1989, deux jours avant mon seizième anniversaire de naissance, mes parents m'ont dit qu'ils voulaient que j'aille consulter un professionnel. J'ai consenti. Je ne savais pas alors que le professionnel en question était rattaché à une clinique de désintoxication pour les ados. Quand il m'a demandé de définir ce que j'entendais par une dépendance à la drogue, j'ai répondu : « Une personne qui en consomme toute la journée. » Je n'ai jamais refusé d'admettre que j'étais un dépendant. N'était-ce pas, après tout, la seule chose que je réussissais dans la vie ? Quand on m'a proposé de commencer tout de suite la cure, j'ai dit oui sans hésiter. Je ne suis même pas retourné chez moi pour faire mes valises. Mes parents s'en sont occupé. Je savais aussi que je ne serais pas libéré avant la fin des 45 jours que durait la thérapie. Jamais je n'avais été capable de nouer des amitiés signifiantes en pratiquant un sport avec les garçons de mon âge. J'avais des problèmes de coordination entre mes yeux et mes mains ; je ne pouvais donc pas jouer à la balle. Les seuls sports que j'ai pratiqués avec succès ont été l'aqua-planche et, plus récemment, le ski. Quand nous sommes déménagés dans le nord de la Californie, j'ai été forcé de renoncer à l'aqua-planche, mais je n'allais pas renoncer à la drogue, la seule chose qui me restait. Je voulais la meilleure sur le marché — et au meilleur prix.

Quand je suis rentré en *détox*, je savais, dès le commencement, que la vie que je menais m'était intolérable. Je savais aussi que je n'aurais peut-être pas de seconde chance. Cette thérapie était ma porte de salut — la seule qui me restait. Je ne savais pas si ça allait marcher pour moi, mais j'étais fermement résolu à mettre toutes les chances de mon côté. Je détonnais parmi les autres patients. J'étais le seul à ne pas résister au traitement.

Cette cure m'a aussi permis de vivre un certain temps loin de mes parents. J'étais heureux au centre, ils n'étaient pas là. Au début, j'ai pensé qu'ils avaient tous les torts. Ça me rassurait. Je ne pensais vraiment pas que notre famille était normale. Nous ne nous parlions jamais. Nous n'étions pas très près les uns des autres. Au centre, j'ai commencé à établir des relations signifiantes avec les gens. Je ne me sentais plus aussi désespérément seul. J'aimais vraiment cet endroit.

J'ai commencé à assister aux réunions. La première personne dont j'ai écouté le témoignage était une femme qui racontait comment elle avait transformé sa vie en une immense partie de plaisir. Elle avait donc connu ce que, moi, j'avais voulu en quelque sorte toute ma vie. Elle disait comment cela l'avait rendu misérable, comment elle avait voulu mourir. Je me suis dit : « Elle aussi ? » Et je me suis identifié à cette femme. Nous nous comprenions.

Comment vivre abstinent ? Je ne savais pas à quoi m'attendre. Mais j'étais déterminé à essayer. Je me suis rappelé qu'un jour j'avais aussi ignoré comment on pouvait vivre sous l'effet de la drogue. Pourtant, je m'y étais habitué, comme j'allais maintenant m'habituer à la sobriété. Au bout de 45 jours, je rentrais à la maison et j'ai remis à mes parents toute la drogue et tous les instruments pour la consommer qui étaient en ma possession. Je savais que, même s'ils avaient fouillé ma chambre en mon absence, il en restait beaucoup ailleurs, dans la maison. J'ai noué un paquet et je le leur ai donné.

J'ai fait ce qu'on m'avait suggéré de faire. J'ai essayé de mettre en pratique tout ce que les membres AA et les intervenants m'avaient recommandé. Ça faisait un bail que je ne m'étais pas senti aussi bien dans ma peau. Je me suis rendu à un nombre incalculable de réunions. Je me suis trouvé un parrain. J'ai travaillé fort pour mettre les Étapes en pratique. J'ai fait beaucoup de révision. Les réunions me forçaient à sortir de chez moi. J'allais souvent chez les AA. Au commencement, j'ai pris très au sérieux le dicton qui dit : « Ne prends que ce qui fait ton affaire et laisse tomber le reste. »

Il faut aussi que je parle de la noce à laquelle j'ai assisté, peu après. C'était au début de ma recouvrance et c'était la première sortie que je faisais avec mes parents depuis un sacré bout de temps. Papa buvait beaucoup ! Après la cérémonie du mariage, il m'a donné un verre à remettre au marié. Est-ce que je rêvais ? Cet endroit comportait déjà tellement de dangers pour moi. Je me rendais encore régulièrement au centre pour les suivis et nous avons abordé ce problème au cours d'une session familiale. Le personnel a, par la suite, fait comprendre à mon père qu'il était alcoolique, qu'il devrait rentrer dans les AA. On lui suggéra aussi de se défaire de l'alcool qui était à la maison. Je pense que mon problème de drogue a, aussi longtemps qu'il a duré, été occulté par l'alcoolisme de mon père. Je n'avais jamais remarqué tout l'alcool qu'il consommait. C'est la veille où je suis entré en désintoxication que j'en ai, pour la première fois, pris conscience. Moi, j'aimais bien les grosses bouteilles qu'il entreposait. Elles me permettaient, à l'époque, de consommer sans que mes parents s'en rendent compte.

Ça faisait à peu près un an que j'étais en recouvrance quand, au cours d'une réunion Alateen, je suis tombé en amour. Je ne savais pas ce que signifiait être près de quelqu'un. Cette fille est devenue ma raison de vivre. Je sacrifiais des réunions pour passer du temps avec elle. Nous étions inséparables ! Mais au bout de huit mois, elle s'est lassée de la pression que je lui faisais subir et elle est partie. Le coup a été terrible à encaisser. La colère m'habitait. J'avais mal. J'avais la rage au ventre le matin, le midi, le soir, au coucher, tout le temps. Cette aventure m'a durement secoué, mais elle m'a ramené à ce qu'il faut faire pour rester abstinent. Malgré tout, je n'ai pas consommé.

J'ai changé de parrain. J'ai assisté tous les jours à des réunions. Je vivais, de nouveau, au bord du désespoir. Je me suis appliqué à vivre selon les Étapes. Seulement, cette fois-ci, je n'ai pas pris « seulement ce qui faisait mon affaire ». J'ai vraiment essayé de mettre les Étapes dans ma vie, dans mon quotidien. Peu à peu, les choses se sont améliorées.

L'année de ma majorité, j'ai commencé à me sentir bien dans ma peau. J'ai enfin reçu mon diplôme d'études collégiales. Mes notes n'étaient pas reluisantes. Je pense que les études m'ennuyaient. Je me suis quand même inscrit dans une institution de la région qui dispensait des études préparatoires à l'université.

La vie aujourd'hui me sourit ! Mes rêves se réalisent, mes espoirs se concrétisent. Je parle avec ma mère. Je lui raconte mes journées, je partage avec elle ce que je retire des réunions anonymes. À l'école, tout baigne dans l'huile. Je m'affirme, je participe à la vie étudiante. Dire que j'en étais totalement incapable à l'époque où je consommais ! Au temps où je fumais de la mari, je n'aurais certes jamais été en mesure de faire tout ce que j'arrive à faire aujourd'hui. C'est fabuleux, non ? L'an dernier, je commençais mes études universitaires. J'ai limité le nombre de cours que je suivais parce que je voulais travailler. Cette année, j'ai pris plein de cours et j'ai quand même trouvé le moyen de travailler pendant les deux semestres. Tout semble trouver sa place dans ma vie. Je songe sérieusement à quitter le foyer familial pour partager une maison avec deux amis, deux personnes en recouvrance. Je n'ai jamais senti le besoin de retourner à mon ancienne vie. Je n'ai jamais eu à consommer [des drogues] de nouveau. J'aurai bientôt cinq ans d'abstinence.

Il m'arrive cependant de penser que cette vie est quelque chose de temporaire. J'ai connu des jeunes avec qui j'ai fait la bombe pendant un certain temps et qui mènent aujourd'hui une vie normale. Mais quand il me vient des idées, je me dis : « Toi, mon pote, t'es alcoolique, t'es dépendant. T'es pas capable de boire normalement. T'es pas capable de consommer normalement. Si tu recommences, tu te coupes de la vie. »

Il y a quelque chose d'étrange dans le fait que je sois si jeune... J'ai pris de la drogue et j'en ai abusé, mais ça n'a duré que deux ans. Il ne faut pas que j'oublie que je suis dépendant. J'ai compris tôt qu'il fallait arrêter. Je suis content d'avoir entrepris une cure de désintoxication au moment où je touchais le fond du désespoir. Ça m'a permis de souhaiter sincèrement que ça change !

C'est super ! Je rencontre aujourd'hui des gens positifs. Et moi qui croyais que l'abstinence allait limiter mes horizons. Pas du tout ! Je m'amuse comme un fou. J'assiste encore à des spectacles de musique rock, mais j'emmène toujours avec moi beaucoup d'amis abstinents. La vie est belle ! Je vais souvent danser dans les soirées AA. Les « super bombes » dont je rêvais quand je consommais ne m'intéressent presque plus. En tout cas, quand j'assiste à ce genre de *party,* je traîne toujours des amis en recouvrance avec moi. Je ne pouvais aller au concert ou dans un *party* quand j'ai commencé à me rétablir. J'étais spirituellement trop fragile. J'ai quatre ans d'abstinence maintenant et je prends la spiritualité de plus en plus au sérieux. Je médite périodiquement, par exemple.

Ma vie n'est pas parfaite. J'ai commis des tas de bêtises, mais j'ai, pour apprendre à tirer parti de mes erreurs, la Dixième Étape.

Je n'ai pas changé. Je suis toujours le fonceur et le comique que j'étais avant. Mais j'ai appris qu'il n'est pas nécessaire de toujours s'entêter à être le premier. J'essaie de faire du mieux que je peux. Je n'ai pas à être le numéro 1. Ce que j'aime le plus, ce sont ces longues conversations que j'ai parfois avec certains amis, quand chacun veut resserrer ses liens avec l'autre en analysant ce qu'il vit, en allant au fond de ce qu'il ressent. Je n'aurais jamais pu faire ça avant.

J'ai fait beaucoup d'efforts, l'an dernier, pour améliorer mon attitude face à l'étude. J'aimerais décrocher un diplôme avec de bonnes notes. Je pourrais ainsi passer de l'institution régionale que je fréquente actuellement à une université d'État. J'essaie aussi de mettre de l'équilibre dans ma vie. J'ai aujourd'hui une meilleure confiance en moi et une meilleure opinion de ma personne. Quand je respecte mes émotions, j'arrive mieux à me concentrer et mes études en bénéficient. Tout ça se tient.

Je passe aussi beaucoup de temps à essayer de contrôler mon stress. Je lis une ou deux pages à la fois du *Gros Livre* — et puis je les relis encore. Je vais aux réunions. Je bois de la tisane. Je me relaxe, je médite, je prie. Je fais des efforts pour me calmer quand je sens que c'est nécessaire. La vie est belle !

CHAPITRE SIX

Daniel

Six ans d'abstinence

Médecin généraliste

54 ans

Forcés de vendre la ferme qu'ils possédaient dans le Midwest américain, suite à une période de grande sécheresse, mes grands-parents partirent vers l'ouest dans l'espoir d'y trouver du travail. Peu après, ils étaient engagés comme journaliers sur une fermette communale de la Californie. Très pauvre, ma famille a particulièrement souffert de la dépression des années trente — ce qui ne les a pas empêchés de rester des gens très fiers ! Je commence mon histoire ainsi pour expliquer, en partie du moins, les valeurs que ma mère m'a transmises. C'était une femme intelligente qui cherchait constamment à s'améliorer. Elle savait ce que signifiait être à court d'argent. La pauvreté a marqué sa vie.

Je me rappelle une des scènes pénibles qu'elle m'a un jour racontée. Ses parents souhaitaient acquérir une maison et, pour gagner quelque supplément, on allait, le soir, de ferme en ferme dans l'espoir d'y dénicher du travail. Un contremaître, un jour, leur a demandé : « Que savez-vous faire ? » Et ma grand-mère de répondre : « N'importe quoi. » Maman, plus tard, me répétait tout le temps : « Ne dis *jamais* que tu es prêt à faire n'importe quoi. Dis que tu es quelqu'un. Un médecin, par exemple. »

Enfant, je compris que pour se sortir de la misère, il fallait, dans la vie, être quelqu'un. Je voyais grand-maman et ses sœurs travailler d'interminables heures pour que maman puisse étudier. Elle a obtenu son diplôme d'infirmière et nous avons quitté notre village pour une plus grande ville de la vallée californienne. Papa travaillait pour la compagnie de chemin de fer.

J'avais quatre ans quand maman fut atteinte du cancer. C'était une tragédie. Nous formions une vraie famille. Mes parents souhaitaient avoir d'autres enfants. Maman a pu profiter d'un nouveau traitement qui, à l'époque, sauvait des vies. La *nitrogen mustard chemotherapy* a prolongé son existence, mais elle a aussi changé notre vie : quand elle avait besoin d'un traitement, nous avions toujours peur que ce soit le dernier. À chaque rechute, elle s'en allait avec papa dans un hôpital de Los Angeles — le seul qui, à l'époque, dispensait ce traitement. Moi, j'allais habiter chez une tante. Maman mettait deux, trois et parfois quatre semaines à se remettre du traitement de chimiothérapie. Séjourner chez ma tante signifiait changer d'école. Ma vie était remplie d'isolement et de solitude. Je ne posais jamais de questions : je m'adaptais simplement aux hauts et aux bas de la vie. La mort planait sur notre quotidien, mais on n'en discutait jamais. Beaucoup plus tard, j'ai demandé à un de mes oncles pourquoi personne ne m'avait jamais dit que maman était atteinte d'une maladie qui risquait à tout moment de l'emporter. Il a répondu : « Ben, on ne parlait jamais de la mort dans ce temps-là. »

Je me sentais seul, incompris, différent. Mais j'ai appris qu'avec des efforts, on peut devenir quelqu'un, on peut se réaliser dans le travail. J'ai mis beaucoup de moi-même dans les sports et ça m'a réussi — même si je ne suis pas vraiment du type athlétique. Je me rappelle avoir pratiqué des heures entières la technique du tir, au basketball. À l'école secondaire, on m'a admis dans l'équipe où j'ai connu un certain succès, mais j'ai bossé dur pour y arriver. Face à mes études, j'avais la même attitude : travailler, travailler, travailler. Quand je repense à tout ça, je me rappelle ma conviction d'alors : nous étions différents des autres. Je croyais, en effet, que notre passé de misère faisait de nous des êtres inférieurs.

Quand on vient d'un milieu défavorisé, on pense souvent que la seule manière de s'en sortir est l'éducation et le travail. J'ai instinctivement appris à faire preuve d'assiduité dans l'étude. Mais tout ce zèle n'a, cependant, jamais chassé mon vide intérieur et le sentiment d'insatisfaction qui m'habitait. J'ai plus tard découvert que beaucoup de personnes dans les AA ressentent ce vide ou ce trou, intérieurement.

Jeune, je ne me souviens pas d'avoir été un enfant turbulent. À la maison, on voyait d'un très bon œil mon assiduité au travail et tous m'encourageaient — excepté quand maman tombait malade. Quand elle était en santé, je la voyais aux côtés de papa lorsque mon équipe disputait un match.

Maman travaillait pour des particuliers ; c'était moins exigeant que de pratiquer dans un hôpital. Quand elle jouissait de sa pleine santé, elle était infatigable : elle travaillait parfois sept jours sur sept. Toute la vie de notre famille tournait autour de la mort virtuelle de maman.

Mes parents ne vivaient que pour économiser. Une idée semblait les obséder : si maman venait à mourir trop vite, il n'y aurait peut-être pas assez d'argent à la banque pour mes études universitaires. J'avais toujours vécu près de ma mère et, pourtant, nous n'avons jamais parlé de ça. C'est tout ce que j'ai pu rassembler de mon enfance.

J'avais seize ans quand elle est morte. Pendant douze ans, le spectre de sa mort, et tout le cortège funèbre qui l'accompagne, aura plané au-dessus de nos têtes — et nous n'en avons jamais parlé !

Aujourd'hui, la médecine a beaucoup évolué. Attrapez, par exemple, la maladie de Hodgkins et vous serez soigné et vous pourrez vivre. Je sais tout ça, mais ça ne me rend pas mes parents. Bien sûr, j'ai réussi dans la vie, mais ça ne me rend toujours pas mes parents. Notre vie de famille aurait pu être tellement plus heureuse...

J'avais vingt ans quand mon père est mort. Il ne s'est jamais remis du départ de maman. La douleur a eu raison de lui. Pourtant, quelque chose d'autre a précipité sa fin. Papa ne buvait que les fins de semaine, mais après la mort de maman, il a commencé à boire presque tous les jours. Une colite ulcéreuse et une cirrhose du foie l'ont emporté. Je pense que l'augmentation de sa consommation d'alcool n'était pas étrangère à la mort de maman. En fait, les années qui ont précédé la mort de mon père ont été particulièrement éprouvantes. Ce fut pour moi une période très dysfonctionnelle entre 16 et 20 ans.

L'absence de mes parents me fait encore souffrir. Mon sentiment ressemble un peu à celui qu'éprouvent les gens sans enfants quand ils songent aux enfants des autres. Ils se réjouissent, certes, du bonheur des parents, mais ils vivent aussi une certaine forme de désespoir. C'est ce désespoir qui m'habite quand je pense à ceux qui ont la chance d'avoir leurs parents auprès d'eux.

Je dois dire cependant que mes beaux-parents sont toujours en vie. Je me sens plus près de mon beau-père que de ma belle-mère. Quand on se visite, je passe beaucoup de temps avec lui. Il m'aime bien, cela ne fait pas de doute. Je le traite comme quelqu'un d'important pour moi. Je l'aime bien, moi aussi. J'éprouve une sorte de bien-être en sa présence, un bien-être où le remords est, cependant, rarement exclu.

Maman est morte en 1956 et papa, en 1960. Leur souvenir n'a pas cessé de hanter mes nuits. Je rêve que je m'entretiens longuement avec eux, que nous discutons de mille et une choses. Je les vois comme ils étaient au moment de leur mort. Mais j'ouvre les yeux et je me dis : « Non, c'est impossible ; ils sont morts. » Mais mon inconscient ignore le passage du temps. Une partie de moi-même souhaite ardemment, je crois, être en contact avec mes parents pour que me soit donnée l'occasion de leur faire amende honorable. Voyez-vous, j'ai commencé à avoir des problèmes avec l'alcool un peu avant que ma mère décède. Après, j'ai perdu tout contrôle et j'ai abusé de la bouteille jusqu'après la mort de mon père. Aujourd'hui, j'éprouve de la culpabilité et du remords ; je m'en veux de m'être ainsi laissé enfoncer dans l'abîme.

L'alcool a été ma première drogue de prédilection. C'était avant que je découvre la marijuana. La première fois que j'ai pris un verre, j'ai consommé comme un alcoolique : j'ai pris toute une cuite. Et puis, je n'ai plus été capable de m'en passer. Je buvais jusqu'à perdre conscience — et je conduisais quand même ma voiture ! Je n'arrive pas encore à expliquer comment j'ai fait pour survivre à mes années d'adolescence. Je traversais des périodes d'abstinence, mais quelque chose de stressant survenait et je recommençais à boire, à me soûler sans arrêt. Je n'étais pas comme les autres alcooliques. Dans les AA, on parle souvent de « buveurs silencieux ». Eh bien, laissez-moi vous dire que ce n'était pas mon cas ! En état d'ébriété, j'étais un danger public. Mais j'ai quand même réussi à garder un certain contrôle pour mes études.

Quand je prenais une cuite, j'ameutais tout le quartier. Je sentais bien le danger de boire ainsi. C'est sans doute ce qui explique que je ne buvais pas tous les jours. À l'époque où je terminais mes études en médecine, tout dans ma vie allait de travers. Mes relations avec les filles ne duraient pas. J'allais constamment de l'une à l'autre. Je me suis même fiancé. Sa famille avait beaucoup d'argent et les parents me tenaient, en apparence du moins, en haute estime. Moi, je ne me sentais pas à la hauteur et j'ai rompu.

J'ai « touché le fond » avec l'alcool peu après. Il y avait cette femme que je croyais aimer (ou quelque chose du genre). Le soir de notre première rencontre, nous avons fait l'amour — et elle est tombée enceinte ! Moi, je lui répétais que j'étais un modèle de stabilité même si, en fait, elle avait quelques fois vu le boucan de tous les diables que je faisais quand j'avais bu. Je voulais l'épouser et donner un père à l'enfant, mais elle hésitait. Je redoublais d'insistance, je voulais la persuader que j'étais, en réalité, très équilibré. Un soir du nouvel an, je me suis soûlé comme un débile et j'ai fini avec la femme d'un autre. Le type voulait me descendre ! Ivre au-delà de toute décence, j'oubliais tout de la femme qui m'accompagnait (et à qui j'essayais de prouver mon sérieux) et je faisais monter, dans ma voiture, une femme rencontrée au hasard d'un soir. Quel désastre ! La femme que je disais aimer m'a quitté et s'est fait avorter peu après. Ça m'a complètement chamboulé. J'avais « touché le fond », je ne pouvais tout simplement pas descendre plus bas.

Je n'ai plus vraiment bu après cet épisode. En janvier 1966, je me rendais à ma première réunion des AA. J'ai aussi fréquenté les réunions de Synanon. Ce mouvement était très populaire dans le temps, d'autant plus que le mouvement psychédélique naissait et que je fumais de la marijuana pour la première fois. Du coup, je me suis tout à fait désintéressé des mouvements AA et Synanon. J'aimais la mari. Ça a été le coup de foudre entre elle et moi. L'alcool avait quelque chose d'aberrant : je finissais par perdre toute maîtrise. Avec la mari, au contraire, j'avais toujours l'impression de dominer la situation.

Peu après, j'ai pris du LSD. Ça a été comme une expérience « spirituelle ». J'ai alors embrassé la carrière que je pratique encore aujourd'hui. Je jouissais, à l'époque, de l'estime de mes pairs et cette réussite professionnelle me comblait. Jamais je n'avais espéré briller dans une carrière en santé publique. J'ai voulu relever ce défi avec panache. J'allais désormais être plus qu'un médecin respecté avec une position académique ; j'aurais une clientèle privée composée des gens de la haute.

Je me suis passionné pour le psychédélique. Je me suis même convaincu que mes recherches avaient un intérêt « purement scientifique ». Ne vivais-je pas dans un quartier où les gens consommaient librement toutes sortes de drogues ? Le jour, j'étudiais les hallucinogènes en laboratoire et, le soir, je continuais à les étudier dans la rue, en observant simplement les gens qui en avaient pris. Il faut que vous compreniez que, à l'époque, le LSD était acceptable dans plusieurs cercles académiques. On considérait que c'était une percée majeure, on disait que son potentiel était énorme. J'avalais du LSD et les murs se dissolvait dans l'air ! Tout se métamorphosait ! Je pensais faire une expérience spirituelle, avant-gardiste. Je n'ai jamais eu de mauvais *trips* avec le LSD — ce qui ne m'a pas empêché de lui préférer la marijuana. Peu après, en effet, je mis le LSD de côté pour me concentrer sur la mari — toujours plus de mari.

Les deux premières années, je ne fumais pas beaucoup. Ce n'est qu'à la fin des années soixante et au début des années soixante-dix que j'ai commencé à fumer tous les soirs. À l'époque de mes recherches sur les états psychédéliques (je disais faire des recherches sur la « spiritualité »), je fumais rarement. Et puis, ça s'est mis à accaparer mes moments de loisirs — sauf que, à l'époque, j'en prenais aussi le soir parce que « ça m'aidait à dormir ». Une chose pour moi était claire : la mari que je consommais pour m'amuser n'avait rien à voir avec la mari qui me servait de somnifère.

Je me suis marié et j'ai eu deux petites filles. Je fumais de la mari tous les jours et, pourtant, ça ne semble pas avoir nui à ma carrière. Avec le temps, ma femme et moi avons fini par admettre que nos chemins allaient en s'éloignant l'un de l'autre. La rupture avec elle n'était pas encore consommée que je m'étais déjà engagé avec une autre femme — qui ne prenait aucune drogue ! Elle estimait, en effet, que la recouvrance n'était vraie que lorsqu'une personne s'abstenait de consommer toute substance susceptible d'altérer le comportement. À l'époque, je classais les individus en deux catégories : ceux qui prenaient de la drogue et ceux qui n'en prenaient plus. Les premiers allaient à la mort, les seconds renaissaient à la vie. Je me demandais : « Mais où est la différence ? » Je savais aussi que ceux qui ne consommaient plus fréquentaient les réunions anonymes où on prône un mode de vie comportant Douze Étapes. Peut-être, me disais-je, y a-t-il là-dedans plus qu'il n'y paraît ?

Ma connaissance des Douze Étapes était alors purement professionnelle. Personnellement, je n'y croyais pas beaucoup. Je ne voyais aucun intérêt à essayer de mettre ces Étapes en pratique dans ma vie — ce qui n'était nullement le cas de ma nouvelle conjointe ! Elle raillait la mentalité des années soixante qui disait que la drogue rapprochait les gens. Moi, je pensais que la drogue était un bon moyen pour échanger. Quand nous avons commencé à vivre ensemble, elle a ordonné : « Aucune drogue ! » Je me suis dit qu'en fait, elle avait voulu dire : « Aucune drogue… dans la maison. »

J'ai donc pris l'habitude d'aller visiter « un ami » qui gagnait sa vie en revendant de la cocaïne — quoique je n'ai appris ce détail que plus tard. J'allais chez lui parce que j'avais besoin de fumer de la mari. Il louait un appartement dans un complexe dont j'étais le propriétaire. J'allais le voir sous prétexte de toucher l'argent du loyer, mais j'en ressortais toujours les mains vides et la tête dans les nuages.

J'évitais les drogues qui engendrent la dépendance parce que je savais que j'avais des prédispositions à la toxicomanie. J'ai d'ailleurs perdu tout contrôle le jour où il m'a initié à la *coke*. À l'époque où je faisais du sport, on donnait de puissants analgésiques aux blessés. J'adorais l'effet que produisaient les comprimés qu'on nous prescrivait contre la douleur. Je pensais alors que la mari était bonne pour la santé et que toutes les autres drogues étaient dommageables. Je lisais des rapports faisant état des plus récentes recherches sur la marijuana et, pensant que j'en savais plus long que tout le monde, je me persuadais que la mari était inoffensive. J'étais bien loin de me douter que cette drogue subtile obscurcit l'esprit et égare le jugement de ceux et celles qui en consomment régulièrement.

Nous étions mariés depuis un petit bout de temps quand j'ai commencé à m'intéresser aux Douze Étapes. Je me disais que puisque je ne buvais plus, je devais être en recouvrance. De toute évidence, seul l'alcool faisait problème dans ma vie — *et rien d'autre* ! Je raisonnais ainsi, à l'époque.

Voulez-vous savoir comment j'ai « touché le fond » avec la marijuana ? Ça s'est passé un soir. Je venais juste de rentrer à la maison. J'arrivais de chez mon prétendu ami revendeur. Je fumais un *joint* quand il a menacé de me tuer si je ne renouvelais pas son bail. Je n'ai pas eu le temps de finir le *joint*. Je l'ai éteint précipitamment avant de le planquer dans la petite boîte métallique que je transportais toujours dans mon porte-documents. Je n'ai pas pris très au sérieux ses paroles ; à l'époque, j'étais un incorrigible romantique qui croyait encore que la drogue rapprochait les gens. Je sais que je ne cherchais, en fait, qu'à justifier ma consommation, que ce type me fournissait un endroit que je croyais sécuritaire et où je pouvais consommer en paix. Au fond, je cherchais simplement à m'accrocher à mes illusions de jeunesse qui, pourtant, au cours des années soixante-dix, étaient sur le point de révéler la grandeur de leur petitesse. C'est du moins ce à quoi je pensais en rentrant chez nous, ce soir-là. Je ne remarquai pas que le *joint*, éteint en catastrophe, enfumait doucement mon porte-documents. À la maison, ma petite fille de sept ans a senti l'odeur et a dit : « Papa, tu as manqué à ta parole : tu as pris de la drogue. » Devant mes enfants, j'avais toujours officiellement prêché contre la drogue et voilà qu'elle venait de démasquer mon hypocrisie ! La soirée qui a suivi a été des plus pénibles pour toute la famille, ma femme ayant improvisé une petite session de thérapie familiale.

Au cours de la nuit qui a suivi, je me suis réveillé en pensant : « Les demi-mesures ne nous ont rien donné. » Je tournais et retournais constamment cette idée dans ma tête. En « touchant le fond », j'ai aussi connu un éveil spirituel. Cette expérience me rappela mon premier contact avec le LSD qui, quelques années auparavant, avait changé ma vie. Je compris que je m'étais toujours contenté que de demi-mesures[1]. J'ai dès lors cessé de fumer de la mari pour m'engager résolument dans la voie de la recouvrance.

Un mois auparavant, un de mes bons amis avait été reconnu coupable d'ivresse au volant — ce qui l'avait conduit chez les AA. Le lendemain de mon aventure, je lui ai téléphoné et nous nous sommes rendus dans une réunion où, pour la première fois, je me suis sans réserve engagé dans le programme de la recouvrance. J'ai dit

---

[1] Dans le chapitre cinq, « Notre méthode », du *Gros Livre* des Alcooliques Anonymes, il est écrit : « Les demi-mesures ne nous ont rien donné. Nous en étions à un point tournant de notre vie. Nous avons demandé la protection bienveillante de Dieu et nous nous en sommes remis à Lui complètement. […] Voici les étapes que nous avons suivies et qui vous sont suggérées comme programme de rétablissement. »

que j'étais dépendant de l'alcool et de la marijuana. J'ai décidé d'adhérer à Alcooliques Anonymes plutôt qu'à Marijuana Anonymes, ou à Narcotiques Anonymes. J'avais besoin de m'entourer de personnes qui jouissent d'une longue expérience de la spiritualité et de la recouvrance, de personnes qui ne se laisseraient pas intimider par mes réussites professionnelles. (Secrètement, elles me permettaient de justifier le déni de ma dépendance à la mari.) Je me rappelais d'une époque où, bien avant que je ne me mette à fréquenter sérieusement les AA, j'avais eu quelques contacts avec des « vieux membres » (ainsi que l'on désigne ceux et celles qui pratiquent le mode de vie depuis des années). Je sentais confusément que ces gens possédaient quelque chose que, moi, je n'avais pas. Je me sentais attiré par les « vieux membres » : ils vivaient selon un mode de vie dont j'ignorais presque tout. Mais en ce jour mémorable, je devais mettre mes pensées rationnelles de côté : il ne me restait qu'à ouvrir mon cœur à ce qu'ils avaient à m'apprendre.

En m'engageant honnêtement dans la recouvrance au sein des AA, je suis retourné aux valeurs de base du mouvement : je me suis trouvé un parrain et j'ai essayé de vivre selon les Étapes. Je fréquentais les réunions où je savais qu'il y avait peu de chances que les gens me reconnaissent ; je ne voulais pas que l'on me pose des questions sur ma vie professionnelle. Je ne voulais pas que l'on m'identifie au spécialiste de la santé publique dont la réputation, dans ce coin de pays, n'était plus à faire. Je voulais n'être qu'un dépendant anonyme qui cherche de l'aide.

J'ai appris que la marijuana entrave le développement spirituel d'une personne et qu'elle agit sur son jugement de manière à l'éloigner du mode de vie que prônent les AA. J'ai en effet commencé à mettre consciencieusement en pratique le mode de vie des AA le jour où j'ai cessé de consommer de la mari. Il a fallu que je sorte cette drogue de ma vie pour comprendre à quel point elle s'était infiltrée dans tous les domaines de mon existence, à quel point j'étais dépendant d'elle. Au début, je n'ai pas vraiment éprouvé le manque — sauf peut-être en certaines occasions, quand je vivais des situations autrefois associées à la consommation. En voyage, par exemple, j'allumais automatiquement un *joint* quand je me sentais seul. J'avais aussi l'habitude de fumer quand je travaillais tard et que ma pensée refusait de calmer son activité ; la drogue me libérait l'esprit, m'aidait à dormir. Quand ça me prend aujourd'hui, je sors de chez moi et vais à une réunion des AA.

Il m'a fallu être abstinent un bon bout de temps avant de revenir à la réalité. Je pense que lorsqu'on fume régulièrement de la mari, on n'est pas en mesure d'évaluer à quel point l'esprit est soumis à l'emprise qu'elle exerce sur soi. On pense que ce n'est pas très grave — du moins, pas autant que l'alcool, qui annihile toute conscience et qui, à l'instar de la cocaïne, rend littéralement fou. Il faut cesser de consommer de la mari pour réaliser à quel point cette drogue accapare le mental et décide de votre vie. Je pense, par exemple, à tous ces matins où, l'esprit embrumé, je n'arrivais pas à réfléchir et à agir décemment — ce qui n'est pas le cas quand on ne consomme plus. Je croyais sincèrement que j'étais une personne qui était lente à fonctionner après une nuit de sommeil. J'ai cru ça pendant des années jusqu'au jour où, ayant renoncé à la mari, j'ai compris que mes états léthargiques matinaux étaient, pour la plupart, les vestiges des effets du cannabis absorbé la veille. Abstinent, j'ai mis du temps à me débarasser de cet affaiblissement matinal.

Mais l'effet le plus pernicieux de la marijuana est la manière dont elle affecte le jugement. Elle m'a fait croire, notamment, en quelque chose qui n'existait plus depuis belle lurette. J'ai mis du temps à me défaire de la mentalité « d'amour libre » que les jeunes de ma génération avaient défendue au cours de l'été 1968. Dire que j'ai, pendant presque vingt ans, vécu reclus dans une espèce de bulle gouvernée par cette seule illusion. Et tout ce temps, je fréquentais ce revendeur de cocaïne — quelqu'un de dangereux, quelqu'un qui aurait pu me tuer — en me disant que la drogue rapprochait les gens ! Et tout ce temps, aussi, à mettre ma carrière en danger — une carrière si ardemment espérée, si chèrement acquise, une carrière maintenue au prix d'un labeur inouï. Et tout ce temps, enfin, à risquer ma réputation, à courir le risque d'aller en prison pour avoir été pris en possession d'une substance illégale. (Il y avait toujours, dans mon attaché-case, un étui où je gardais quelques *joints*.)

Encore aujourd'hui, j'assiste à des conférences et des tas de gens m'abordent en me demandant si je n'ai pas de quoi fumer. J'étais toujours celui qui en avait en sa possession. Je revois encore les années où j'avais les cheveux longs et où je portais un *t-shirt* arborant le symbole d'un plant de cannabis ; imaginez le danger auquel je m'exposais quand je voyageais ainsi accoutré et que je franchissais les douanes d'un aéroport avec des joints de mari plein mon porte-documents. J'étais repérable entre mille ! Pourtant, à l'époque, je me disais qu'il n'y avait pas meilleur camouflage. (C'est seulement depuis que je fréquente sérieusement les AA que j'ai pris pleinement conscience de ma folie d'alors.)

Parmi ceux qui défendent la mari, certains soutiennent qu'ils peuvent en consommer sans en subir les effets néfastes. Ce n'est certainement pas mon cas ! Et je sais, aujourd'hui, que mon fils est dans le même bateau que moi. Il a tâté de la mari une ou deux fois l'an dernier ; il avait douze ans et ça lui a occasionné une grave dépression. Cette semaine encore, nous avons été forcés de l'hospitaliser parce qu'il hallucinait sur le plan auditif et parce qu'il était déprimé au point de vouloir se suicider. On se rend actuellement compte que la mari peut avoir ce genre d'effets sur les jeunes ; en fait, les risques semblent décupler chez les adolescents, surtout chez les moins âgés. Il est aussi probable qu'elle leur occasionne certaines formes temporaires de psychose, quoique personne ne puisse l'affirmer avec certitude. On croit dur comme fer que la mari est inoffensive pour la santé des gens. En tout cas, elle ne l'est certainement pas chez ceux qui, sur le plan mental, accusent un certain degré de fragilité.

Pendant des années, ma seconde femme disait ne pas comprendre pourquoi je fumais de la mari. Ça l'exaspérait de me voir ainsi risquer ma carrière. Moi, je ne voyais pas du tout ça du même œil. N'étais-je pas un médecin qui avait brillamment réussi ? Mon expertise en santé publique était reconnue à travers tous les États-Unis et je prononçais des conférences à travers le monde entier. La mari était mon petit secret à moi. C'est tout.

Qu'en est-il maintenant que je ne consomme plus ? Je me suis beaucoup amélioré avec le temps grâce au programme des AA, qui occupe aujourd'hui une place primordiale dans mon existence. La spiritualité du programme et la pratique des Douze Étapes me permettent de faire face aux difficultés de la vie ; elles me sont aussi une aide précieuse pour traverser les crises du genre de celle que je vis présentement. Les pensées que nous lisons sur les affiches tapissant les murs des réunions, la prière de la sérénité qu'on y récite, le support des membres et le partage de nos expériences de vie m'aident à rester abstinent et favorisent ma recouvrance.

J'ai passé les premières années de ma recouvrance à essayer de me débarrasser de la colère et du ressentiment qui venaient de mon enfance et de la culture véhiculée autour de la drogue. Au début, j'ai eu beaucoup de difficultés à rester abstinent ; la peur m'habitait. En fait, j'aurais souhaité être entré en recouvrance avant d'avoir connu aussi intensément la douleur et le désespoir. Mais la réalité est que la douleur et le désespoir sont le lot de tous ceux et celles qui arrivent aux AA. C'est d'ailleurs le sens qui se dégage de l'expression « exprimer sa gratitude » : si le tourment d'un alcoolique n'avait pas été si grand, il ne serait probablement jamais venu au mode de vie AA et, partant, il n'aurait sans doute jamais appris à « exprimer sa gratitude », un sentiment qui, je crois, est ce qu'il y a de plus important dans la vie d'un dépendant en recouvrance.

Le temps aidant, il devient plus facile de comprendre ce que les gens expliquent dans les réunions. Au début, c'est le corps qui bénéficie des vertus de l'abstinence ; les aspects spirituels et relationnels de la recouvrance mettent, pour leur part, un peu plus de temps à se révéler.

Vraiment, je ne suis plus le même depuis que je suis abstinent. De tous les changements remarquables qui sont survenus dans ma vie, il en est un que j'apprécie plus particulièrement. Avant, à chaque mois de janvier, je vivais une profonde déprime. J'appréhendais toujours l'arrivée de ce mois qui marquait le triple anniversaire de la mort de ma mère, de mon père et de ma grand-mère. Au cours de ma deuxième (ou peut-être troisième) année d'abstinence dans les AA, ce sentiment a complètement disparu. Janvier et les pressentiments de malheur ne m'inquiètent désormais plus du tout.

Au cours de l'étape suivante, j'ai commencé à pénétrer la dimension spirituelle de *mon programme* que j'affectionne énormément pour, entre autres choses, l'harmonie qu'il m'a permis de mettre dans mes relations avec ceux que j'aime. Ce mode de vie appelle la pratique : c'est un guide qu'on consulte pour mieux vivre, pour trouver les solutions adaptées à ses besoins. Au commencement, on se dit que d'arrêter de consommer est déjà bien assez — et c'est, au demeurant, une entreprise passablement exigeante. Mais avec le temps, on comprend que de vivre et d'affronter les problèmes sans drogue est beaucoup plus ardu. Aujourd'hui, quand j'ai de la difficulté à dormir, je récite la prière de la sérénité. Avant, je fumais un *joint* chaque fois que quelque chose me dérangeait. Je ne voyais alors que deux manières de résoudre mes difficultés : les ressasser *ad nauseam* dans mon esprit ou me *geler*. Maintenant, je dispose d'une troisième voie : le mode de vie des AA. Je téléphone à mon parrain, je travaille mon programme. Le mouvement AA est, dans ma vie actuelle, source d'une grande paix.

Voici un exemple qui va vous montrer comment j'essaie de vivre les Étapes. La période entre la mort de ma mère et celle de mon père a été le pire moment de ma consommation d'alcool. Je ne savais pas comment, en recouvrance, on fait amende honorable à ceux qui ne sont plus. J'ai simplement suivi les suggestions de certains membres AA. Je me suis rendu sur la tombe de papa et de maman en compagnie de l'une de mes tantes. (Elle ne savait pas vraiment où je voulais en venir, mais elle a répondu de bonne grâce à ma demande.) Et j'ai dit une prière dans laquelle je demandais pardon à mes parents.

Mes priorités ne sont plus du tout les mêmes. Je travaille à améliorer ma vie intérieure, je m'attache davantage aux valeurs spirituelles. Que la déprime du mois de janvier ait aujourd'hui disparu de ma vie est une bénédiction — une immense bénédiction ! — comme c'est une bénédiction de ne pas avoir rechuté, ou encore, d'avoir appris à trouver des solutions à mes problèmes. Je consacre beaucoup de temps à servir les AA. Je passe, par exemple, prendre des membres que je conduis aux réunions et je les ramène ensuite chez eux. La plupart du temps, je ne parle pas au cours d'une réunion, mais je ne refuse jamais de prendre la parole quand on me le demande. Récemment, je me suis rendu à un congrès international qui réunissait des médecins et des membres des Alcooliques Anonymes. J'ai eu la chance de m'adresser publiquement à quelque trois cents personnes. Après mon allocution, quelques personnes sont venues me serrer la main en disant : « Il fallait beaucoup de courage pour vous ouvrir ainsi à tant de gens. Vous êtes tellement connu ici. » Sur le coup, j'ai ressenti un peu d'angoisse parce que je n'avais pas envisagé les choses sous cet angle. J'avais seulement pensé à rendre service aux AA. Quand je me suis mis à mesurer les conséquences possibles de ma franchise publique — ma réputation compromise, ma carrière foutue — j'avoue que j'ai eu peur. Mais, aujourd'hui, j'essaie surtout de ne pas m'éloigner du mode de vie des AA tout en servant le mouvement du mieux que je peux. C'est, pour moi, la meilleure manière de mettre les Douze Étapes en pratique.

On m'a assuré que la publication de ce texte serait anonyme, mais ça ne m'ennuie pas de raconter mon histoire. Qui sait ? Il y a peut-être quelque chose là-dedans qui pourrait aider quelqu'un. Je suis un médecin qui jouit d'une solide réputation. Et dire que toutes ces années, j'aurais dû savoir que je me leurrais. Mais je refusais de reconnaître mon déni, je refusais de voir que mon attitude était une menace constante pour ma carrière, une terrible menace pour tout ce que, dans la vie, j'essayais si laborieusement d'accomplir et pour tout ce que je chérissais. Hanté par les paroles de ma mère, qui disait que le succès ne vient qu'avec de l'instruction et de la persévérance, j'ai oublié qu'il n'était pas nécessaire que je réussisse à n'importe quel prix. Et c'est bien là l'essentiel de ma folie passée. Puisse mon témoignage amener quelqu'un à prendre conscience du déni qu'il entretient face à sa dépendance à la marijuana.

Quand j'étais jeune, on disait que l'on ne pouvait sérieusement connaître et parler d'une drogue que si on en avait fait personnellement l'expérience. Je suis un contemporain de Timothy Leary, le célèbre chercheur de l'Université Harvard. Si vous comprenez votre évolution et votre recouvrance, vous devez accepter les choses telles qu'elles sont réellement. Mon histoire se confond aujourd'hui avec l'expérience de mon abstinence. J'ai déjà cru que j'étais en recouvrance parce que je ne buvais pas et que je me rendais, de temps en temps, à une réunion des AA. Aujourd'hui, j'affirme qu'il est impossible de connaître la véritable nature de la recouvrance et de l'évolution spirituelle qui l'accompagne, si on n'est pas libéré de toute drogue. Avant, je me contentais de lire les Étapes ;

aujourd'hui, je suis un peu plus avisé et j'essaie, du mieux que je peux, de les mettre en pratique.

Curieusement, je n'ai pas eu trop de difficultés à intégrer Dieu dans ma vie — ce qui n'est pas le cas de beaucoup de membres qui arrivent au mouvement des AA. Je crois que mes premières expériences du LSD m'ont ouvert à la spiritualité. Mon parrain dit que prendre du LSD, c'est comme monter à bord d'un train à haute vitesse qui va à Paris ; avec les AA, on voyage plus lentement et beaucoup plus sûrement. Aujourd'hui, je ne donne plus le même sens à ce qui unit religion et spiritualité. Autrefois, je me tournais vers Dieu quand survenait une catastrophe. « Pourquoi me faire ça à moi ? », disais-je en croyant qu'Il me punissait pour quelques fautes que j'avais commises. Mais tout ça a changé. J'ai commencé à penser différemment le jour où j'ai travaillé le programme de recouvrance. Je sais que les demi-mesures ne donnent jamais rien. J'ai retourné cette pensée cent fois dans ma tête.

L'aide de mon parrain a été capitale pour la compréhension des Étapes. Je communique toujours avec lui. Nous travaillons ensemble sur plusieurs projets ; nous nous rencontrons souvent au cours de la semaine. Notre relation est doublement enrichissante : du point de vue professionnel, je le parraine ; dans les AA, c'est lui qui endosse ce rôle.

Quand je voyage, je m'assure d'avoir toujours sous la main, dans la voiture, des cassettes sur lesquelles sont enregistrés des témoignages de membres AA. Je lis souvent le *Gros Livre* qui est devenu une partie intégrante de ma vie. J'aime aussi relire les premiers écrits de Bill Wilson (l'un des fondateurs du mouvement AA). Face aux écrits des AA, mon attitude se confond avec celle d'un fondamentaliste : il ne faut pas toucher à un seul iota des textes relatifs au mode de vie. Dire que j'ai passé une bonne partie de ma vie à les interpréter tout de travers, pour comprendre aujourd'hui, et non sans quelque souffrance, que cette attitude est parfaitement stérile.

J'ai aussi la nette impression que ma femme et moi parlons un peu plus le même langage. Nos échanges se sont en effet considérablement améliorés. Elle compte dix-sept ans d'abstinence et de recouvrance. Moi, j'en ai six. Nous fréquentons les réunions AA où l'on trouve généreusement aide et conseil. Nous partageons le même mode de vie (et avons entrepris une thérapie) — ce qui a ajouté de la profondeur à notre relation et nous a donné un cadre de référence commun pour faire face à la vie. Presque tous nos amis sont membres des AA. La fraternité occupe une place importante dans notre vie sociale.

Nos enfants ont été initiés aux mouvements Alateen et AA. Mais cela ne comporte pas que des avantages, ainsi que nous l'avons constaté avec notre fils qui déclarait récemment : « Vous avez eu *vos* problèmes et vous avez trouvé *vos* solutions. Vous vous en êtes quand même bien sortis. »

Ça fait maintenant six ans que j'ai adopté ce mode de vie et, croyez-moi, mon existence est encore, par moments, difficile. Je vis maintenant ces instants un à la fois et dans l'ordre où ils se présentent. Je dois aussi dire que je me suis pas mal amélioré. En période de crise, je fais moins de ressentiment, je déprime moins, je ne me laisse pas abattre aussi facilement. Je m'appuie sur les enseignements du programme. Quand je vais aux réunions, j'essaie d'arriver avant les autres et de partir après eux. Je fais aussi un brin de conversation avec les membres et je respecte volontiers le rituel. J'ai toujours hâte d'assister à une réunion. Je me rappelle l'époque de mes toutes premières réunions. J'étais impatient ; je voulais que ça finisse au plus vite pour m'en aller, pour « passer à autre chose ». Aujourd'hui, par contre, j'attache énormément d'importance aux réunions. J'en ai besoin.

CHAPITRE SEPT

Gaël

Six ans d'abstinence

Écrivain

56 ans

J'ai cinquante-six ans. Au cours de mon enfance, et pendant une bonne partie de mon adolescence, la marijuana était quelque chose de tabou. On n'en parlait presque jamais, sinon de façon négative. Cette drogue, nous répétait-on, vous démolissait la santé. Ceux qui connaissent le film *Reefer Madness* peuvent se faire une idée du genre de mise en garde qu'on nous servait. La peur que la mari inspirait au grand public frisait l'hystérie. À la maison, mes parents échangeaient peu là-dessus. Je me rappelle le jour où une vedette de Hollywood a eu maille à partir avec la justice parce qu'on l'avait trouvée en possession de marijuana. Mes parents tranchèrent net : il fallait être stupide ou cinglé pour toucher à ça. Jeune, je ne discutais jamais l'opinion de mes parents ; je m'accordais presque tout le temps avec ce qu'ils disaient. On était très petit-bourgeois.

Je pense qu'il serait utile de vous parler un peu de mon enfance. Je suis né dans le Connecticut, où j'ai passé les premières années de ma vie. Notre famille a aussi vécu à New York quelque temps, mais j'avais douze ans quand nous sommes revenus dans le Connecticut. De 1939 à 1948, on ne tenait pas en place : on déménageait aux quatre ou six mois. Moi, j'errais d'une école à l'autre.

Papa et maman n'étaient plus très jeunes quand je suis né ; ils avaient tous deux trente-sept ans. J'ai passé mon enfance au milieu d'adultes — ce qui fait que j'ai toujours pensé et agi en adulte, même quand j'étais petit. Je n'ai pas eu de bicyclette ; on ne me permettait pas de grimper aux arbres. J'étais presque toujours seul, laissé à moi-même ; je me suis donc imaginé des compagnons de jeux avec lesquels j'ai fait la conversation. J'étais un enfant curieux. La science, les arts, tout m'intéressait. J'ai très tôt appris à lire. Mes premières passions ont été, pour la plupart, des ouvrages qui parlaient de science, d'astronomie, de paléontologie, d'archéologie. J'ai abordé la fiction à l'âge de onze ans seulement. J'avais toujours des projets plein la tête ; je ne m'arrêtais jamais.

Peu après notre retour dans le Connecticut, on a appris que papa souffrait d'un cancer de la moelle osseuse. Son déclin aura duré cinq ans. Je l'ai vu se déconnecter peu à peu de la réalité et ça m'a terriblement déprimé. Je pense toutefois que ma consommation d'alcool n'était pas étrangère à cet état d'esprit.

J'avais commencé à boire très jeune — au cours de ma deuxième année du secondaire, en fait. Le meuble où l'on rangeait les spiritueux était, chez nous, assez bien garni et je suis rapidement devenu un expert à dissimuler l'alcool que je dérobais : j'ajoutais simplement un peu d'eau aux bouteilles. Maman prônait plutôt la tempérance ; les rares fois où elle buvait, elle coupait l'alcool avec autre chose. Ce n'est certainement pas elle qui aurait pu s'apercevoir de quoi que ce soit.

Papa séjournait souvent à l'hôpital pour des traitements au radium. J'espérais ses départs autant que je redoutais ses retours. Ce n'est certes pas facile de vivre avec quelqu'un qui se meurt d'un cancer — surtout quand on est adolescent. La maladie progressait et le comportement de mon père devenait, chaque jour, un peu plus irrationnel. Il sentait mauvais. Ses facultés périclitaient et les fonctions de base de son métabolisme se déréglaient. La pièce où il dormait ne sentait pas la rose ! Moi, je n'arrivais pas à surmonter ma répugnance, ce qui me faisait sentir coupable. La culpabilité me faisait vivre de la colère et la colère me faisait vivre de la culpabilité. C'est à cette époque que j'ai commencé à me mépriser.

Robuste et en santé, mon père est devenu, en l'espace de quelque temps, un vrai squelette ambulant. Je devais avoir douze ou treize ans quand sa santé a commencé à se détériorer ; j'en avais seize quand il est mort. Ce fut une période difficile pour ma mère aussi. Elle s'est comme retirée de la réalité quand il est parti. J'ai dû prendre les choses en main — et je me sentais si mal outillé pour agir. J'ai rempli les formulaires de l'armée américaine (il fallait prendre des arrangements pour la pension que papa touchait), j'ai réglé le détail des funérailles, j'ai payé les comptes médicaux en souffrance. Bref, je me suis occupé de tout ce qui aurait dû être normalement la charge de ma mère.

Cet épisode de ma vie m'a tout de même révélé quelque chose de moi-même : j'avais une très grande tolérance à l'alcool et je l'aimais parce qu'il abolissait mon rôle d'adulte. La première fois que j'ai connu l'ivresse éthylique, je me suis senti libre comme l'enfant que je n'avais jamais été. Et à l'école, le fait que je pouvais boire autant sans me soûler a moussé mon prestige auprès des autres, surtout auprès d'un groupe très fermé qui, comme moi, prenait un coup. Je tenais toujours plus longtemps que tout le monde. On m'admirait beaucoup pour ça. Quand ma famille est revenue vivre dans le Connecticut, je n'avais pratiquement pas d'amis. Mais maintenant, grâce à l'alcool, j'étais quelqu'un de bien. Et j'en étais fier. Quand je regarde mon livre de graduation, la moitié des notations des autres étudiants à mon sujet ont trait à l'alcool.

J'ai terminé mon cours secondaire en 1955. À l'époque, je savais déjà me distinguer des autres. Je brillais surtout dans les sports, où je me suis taillé la réputation d'un fonceur. En natation, j'ai, à une ou deux reprises, battu les records de ma catégorie. J'ai même participé, dans le Connecticut, aux compétitions où l'on sélectionnait les athlètes qui devaient participer aux Olympiques. Tout le temps que durait l'entraînement, je ne consommais ni alcool ni tabac. (J'avais commencé à fumer, à l'âge de douze ans, chez les scouts.) Au secondaire cependant, j'avais toujours un paquet de cigarettes en réserve dans mon casier au vestiaire. La dernière épreuve de l'année terminée, je n'ai pas attendu pour en allumer une. Dire que je pensais avoir le contrôle ! Enfin, passons…

Je me rappelle aussi nos mémorables virées dans Greenwich Village, célèbre quartier de Manhattan. Les copains et moi aimions par-dessus tout la vie de bohème qu'on y menait. On flânait dans les bars, on prenait un verre et personne ne nous importunait. Je m'étais laissé pousser une barbiche à 17 ans, en disant plaisamment que c'était « l'incontournable » preuve que j'étais majeur. J'ai rencontré là-bas des tas d'artistes et d'écrivains prometteurs ; presque tous vivaient dans le Village. Certains étaient célèbres, d'autres en voie de l'être. Quand on organisait des parties dans le Connecticut — tout près de New York — plusieurs venaient chez nous.

Dans le Village, plusieurs fumaient de la mari. J'avais entendu parler du *pot,* mais je n'en avais jamais vu. L'un d'eux était un disc-jockey (D.J.) qui travaillait pour une station de radio locale. Dans son genre, il avait plutôt de la gueule — assez en tout cas pour impressionner un ado de 17 ans qui était attiré par la vie de bohème. J'avais, dans le passé, réfléchi à la question de la marijuana ; je m'étais, entre autres, souvent demandé quelle allait être ma réaction le jour où on m'en offrirait. En principe, je prêchais la position anti-drogue, mais...

L'été, j'étais gardien de plage. L'enfant pâlot et chétif que j'étais, quelques mois seulement auparavant, s'était métamorphosé en un jeune homme bronzé et musclé. Je ne peux pas dire que je conserve de mauvais souvenirs de cette époque de ma vie. Pas vraiment... Je me rappelle les trois copains avec qui je passais la plupart de mes loisirs. Je me rappelle aussi le disc-jockey qui nous a initiés à la mari. Je le revois me tendre le *joint.* Je ne pensais qu'à une chose : « Tu voulais savoir ce que tu ferais à ce moment-là ? Ben, ça y est ! » Et j'en ai aspiré une longue bouffée et... j'ai découvert la marijuana.

Le lendemain, les copains et moi avons échangé nos impressions. On s'est rendu compte qu'on était, en fait, inquiets. Les campagnes de sensibilisation dont on nous rebattait les oreilles disaient : « Touchez à la marijuana et vous serez moralement diminués pour la vie ! » Trois jours plus tard, on posait la question au D.J. : « C'est vrai ce qu'on raconte sur la mari ? On en prend une fois et on ne peut plus s'en passer ? » Il nous a regardés avec mépris et répondit: « Écoutez les gars, ça fait quinze ans que j'en fume presque tous les jours et je peux arrêter quand ça me plaît. » Mettons qu'on avait besoin d'être rassurés. C'était une chose que de faire une expérience, c'en était une autre de s'embarquer sur un bateau qui risquait de couler. Ses paroles levèrent en bloc toutes nos craintes. Aujourd'hui, bien sûr, j'interprète ses paroles bien différemment, mais à l'époque, c'était comme s'il nous avait donné *carte blanche*[2].

Maman s'est finalement consolée de la mort de papa. Elle s'était fait un nouveau copain avec qui elle passait le plus clair de son temps. J'étais donc libre de disposer du mien. Je possédais une voiture et, côté argent, je touchais une allocation qui aurait fait l'envie de la plupart des gars de mon âge. Il me semble que, à l'époque, j'étais à la fois heureux et malheureux. Je passais sans cesse des rires aux pleurs. Je ne savais pas quoi faire de ma vie. Parfois, tout m'apparaissait absurde et insensé. Je n'arrivais pas à voir ce qui, à court terme, aurait pu me remonter. À ces heures sombres se succédaient des moments de totale insouciance où je faisais la bombe avec les copains. On fumait quand on arrivait à mettre la main sur de la mari, mais l'alcool étant plus facile à trouver, on buvait en fait plus souvent qu'on se *gelait*.

L'automne suivant, mes études ont repris. J'allais à l'école, mais je n'assistais pas aux cours. J'aimais mieux jouer aux cartes avec les copains et bavarder avec tout un chacun. Mes résultats scolaires étaient en chute libre. L'étude m'assommait. Je me suis toujours ennuyé à l'école. Je lisais énormément, mais ça n'avait jamais rien à voir avec ce que l'on nous demandait de préparer pour les examens. J'écrivais aussi. Les disciplines académi-

---

2 En français dans le texte.

ques ne m'intéressaient pas ; j'étais tout entier accaparé par ce qui me passionnait — et par cela seulement. En quatrième année au secondaire, j'ai cependant vécu une expérience motivante. Le prof, qui avait découvert que je travaillais à un roman pendant ses cours, m'a proposé un marché : chaque fois que j'aurais de l'avance sur les autres élèves, je pourrais consacrer à l'écriture les heures d'étude qui me restaient. En échange, une fois par semaine, j'en lirais des extraits et mes camarades de classe pourraient formuler des commentaires. Ça a été super ! Je n'ai pas de plus beau souvenir de mes études. Ça n'aura cependant été qu'une éclaircie. J'ai, par la suite, été admis dans un centre universitaire où j'ai recommencé à m'emmerder. Au bout de deux ans, j'ai tout laissé tomber pour entrer dans l'aviation.

À cette époque, je fumais de la mari les week-ends, quand, en permission, je séjournais chez mes parents ou bien les jours où je sortais avec les copains. Je n'ai commencé à fumer de manière assidue qu'en 1959, année où j'ai quitté le service militaire. Le mouvement *beatnik* connaissait alors un essor fulgurant. Kerouac publiait *On The Road (Sur la route)* et Ginsberg, ses premiers poèmes. J'ai recommencé à fréquenter Greenwich Village. Je travaillais alors à un immense roman autobiographique, un peu à la manière de Dostoïevsky. J'en lisais des extraits à tous ceux qui me prêtaient une oreille. J'ai bossé quatre ans sur ce texte. Quand je n'écrivais pas, je me démenais pour trouver un emploi de journaliste. Mais les États-Unis vivaient les années noires de la période Eisenhower. Je n'ai réussi qu'à vivoter d'un travail à l'autre. Je me rabattais de plus en plus sur l'alcool et sur le *pot*. Fumer un *joint* devenait une habitude.

En 1961, l'année de mes vingt-trois ans, j'ai rencontré chez des amis des gens complètement *sautés,* des hippies. Il y avait parmi eux un écrivain qui fumait sans arrêt son *kif* (chanvre africain). Il a profité du fait que je rentrais dans le Connecticut pour monter en voiture avec moi ; on a fumé cette merveille pendant tout le trajet. L'ivresse m'a complètement subjugué. C'était la première fois que je consommais un truc aussi fort que ça. J'ai complètement décroché — et ma vie n'a jamais plus été la même. Je m'étais jusque-là approvisionné en marijuana de manière sporadique ; désormais, je n'allais plus jamais être à court. La qualité de la drogue avait beau varier avec les jours, moi, je lui faisais toujours de plus en plus de place dans ma vie.

Le mouvement hippie et ses rituels célébrant l'euphorie gagnaient en popularité. Pour moi, ça a été une période de pointe de mon alcoolisme. Une force irrésistible me portait aux excès. Je passais constamment d'un emploi à l'autre. J'ai même, un jour, monté une affaire en aménagement paysager avec un ami. Il m'a vite remboursé ma part : il trouvait que j'étais trop *flyé.* Et dire qu'on était d'inséparables compagnons de la bouteille !

Nadine est entrée dans ma vie. Elle venait de laisser tomber ses cours au City College de New York et, à l'époque, elle partageait un appartement avec trois copines, esthéticiennes de métier, mais avec qui elle ne s'entendait guère. Le jour où elle a mis les pieds chez moi, elle a dit: : « C'est grand ici ! Y aurait'y d'la place pour moi ? » Je partageais ce *loft* avec un couple d'amis et je me sentais minoritaire. J'ai dit : « Amène-toi. » Ce qu'elle a fait, deux jours plus tard.

Nadine ne se faisait pas prier pour fumer un *joint*. Quand elle est venue vivre avec moi, ma consommation d'alcool a diminué tandis que celle de la mari a augmenté. On fumait presque tous les jours. Il nous est arrivé, une semaine par-ci, par-là de n'avoir rien à consommer. Mais je peux dire que j'avais de bons contacts et, règle générale, mes fournisseurs ne lésinaient pas sur la qualité. Les amis entraient et sortaient ; on discutait politique en fumant un *joint*. Je songeais sérieusement à me séparer de Nadine quand elle m'a appris qu'elle était enceinte de notre fils. On a envisagé la possibilité d'un avortement et on s'est démenés pour trouver l'argent. (Pas question que ses parents ou les miens n'en soient avertis.) Mais on n'a pas réussi à réunir les fonds. C'est ce qui nous a décidés. « Tant pis pour l'argent, marions-nous », ai-je proposé. Ça n'a pas été très long. Ça s'est fait au Mexique, peu après. Au retour, j'ai repris mes études.

Nadine a fumé de la mari tout le long de sa grossesse. Côté argent, on a tenu le coup grâce aux prêts et bourses du gouvernement. Avec l'alcool, je perdais régulièrement les pédales. (Cette situation a duré, en gros, vingt-cinq ans — jusqu'à ce que j'arrive aux AA, en fait.) C'était toujours la même histoire. Je tombais en vacances et, les premiers jours, j'étais complètement bourré ; la culpabilité m'arrêtait quelque temps, mais je finissais toujours par recommencer en me disant que j'allais me contrôler. Je ne faisais, en fait, que relancer le cercle vicieux de la dépendance.

Nadine a accouché d'un garçon. On n'a pas mis beaucoup de temps à se rendre compte qu'il avait parfois de drôles de comportements. Il n'avait pas cinq ans lorsque Nadine et moi avons compris qu'il n'était pas normal. On a fait alors la seule chose qu'on savait faire : fuir la réalité en fumant encore plus de mari.

Mes études terminées, je me suis lancé, à titre expérimental, dans la rédaction d'une vaste épopée romanesque. Je me levais tous les matins en même temps que les enfants (nous avions eu, entre-temps, une fille). Je préparais le petit-déjeuner et voyais ensuite à ce qu'ils aient de quoi s'amuser jusqu'à midi. Le reste de la matinée, je travaillais à mon livre — avec, près de la machine à écrire, une pipe pour fumer. À la fin de la matinée, j'étais aussi confus que l'histoire que j'essayais de raconter. Nadine se levait vers midi. On lunchait, on allait marcher, on rentrait, on fumait un pétard. La routine de la soirée ne changeait que les jours où je donnais des cours, car j'emportais la mari avec moi. Je croyais alors de mon devoir d'expérimenter quotidiennement des états de conscience différents de la normalité. Grace Slick a trouvé l'expression juste pour qualifier ce genre d'attitude : « Je nourrissais ma tête. » La vie semblait plus monotone les jours où je ne consommais pas.

Nadine et moi avons pris du LSD, pour la première fois, à l'été de 1966. Pour moi, ce fut une révélation ! J'ai adopté en bloc la philosophie hippie. Je m'étais toujours passionné pour la pensée et les religions orientales. Après mon premier *trip* de LSD, je me suis mis à lire tout ce qui se publiait, plus ou moins officiellement, sur ce sujet ainsi que ce qui s'écrivait sur Timothy Leary et les travaux expérimentaux qu'il menait à l'Université Harvard. Ça faisait un bail que le LSD me fascinait. Un type qui travaillait dans une librairie près de chez nous a accepté de superviser notre premier *trip*. Nadine et moi en avons repris souvent au cours de l'été. Quand, à l'automne, je suis retourné donner des cours, j'avais la sensation d'être un homme différent. Je me disais que je n'étais plus le même puisque j'avais expérimenté le mysticisme dont parlaient certaines de mes lectures. Avec le LSD cependant, j'avais souvent peur de perdre carrément le nord. Mais l'effet qu'il produisait était par trop fascinant : je ne voulais sous aucun prétexte m'en priver. Il me semblait que, en tant qu'écrivain, il était de mon devoir d'expérimenter différents états de conscience.

Il faut dire qu'à cette époque, la mari était ancrée dans mon quotidien. Mes journées se ressemblaient toutes. Le matin, j'allumais un *joint* en me rendant à l'école. Je donnais un ou deux cours et je prenais un peu de temps pour bavarder avec mes étudiants. Je fumais ensuite un *joint* avant de reprendre la routine des cours. Le travail accompli, j'allais prendre un verre ou deux dans un bar. Je fumais aussi un *joint* en rentrant à la maison.

J'avais pris l'habitude de consommer quotidiennement à l'époque de mes études universitaires où j'ai pourtant obtenu d'excellentes notes (j'avais des A presque partout). Une fois, cependant, j'ai flanché ; ce fut à l'époque où Nadine est tombée enceinte de notre fille. Ça a été une période plutôt troublée où j'ai bu à outrance. Le comble a été quand, après avoir égaré les clés de ma voiture, j'ai comme perdu la raison pendant quelque quarante-huit heures. Quand je suis revenu à la réalité, j'ai décidé, en rentrant chez moi, de ne plus jamais boire d'alcool. J'ai tenu le coup pendant trois ans — ce qui ne m'a pas empêché de fumer de la mari tous les jours. Pour moi, c'était la drogue idéale : elle ne m'empêchait jamais de vaquer à mes occupations.

J'ai reçu mon diplôme et on a tout de suite plié bagages pour aller vivre en Europe. C'était en 1970, à l'époque du *Kent State*. J'avais la conviction que les États-Unis étaient au bord de la guerre civile et je voulais éviter ce bouleversement à ma petite famille. On ne vivait alors que pour les fleurs, l'amour et la cuisine macrobiotique. J'avais espéré décrocher un poste de correspondant outre-Atlantique pour un journal américain, mais ça n'a pas marché. Ça ne faisait pas deux mois qu'on était en Europe qu'il a fallu rentrer en Amérique. On n'avait pas un rond quand on s'est installés dans le New Hampshire, chez des connaissances à nous. On est repartis de là pour aller dans le nord de la Californie où, en compagnie d'amis de longue date, nous avons vécu en communauté. Avec, pour seul revenu pendant une année, un chèque d'aide sociale ; on n'avait pratiquement aucune marge de manœuvre.

Une année de ce régime a fini par nous achever. Le pire a été quand Nadine et moi avons eu la mauvaise idée de faire « un trip d'acide ». Ça a été un *trip* d'enfer ! C'est bizarre : juste avant, j'avais consulté le *I-Ching* qui m'avait mis la puce à l'oreille : « Les liens du sang se dissolvent », disait-il. Je me demandais ce que ça pouvait bien vouloir dire. Nous nous étions préparés à un merveilleux *voyage* au beau milieu de la nature, mais tout est allé de travers. Le champ où nous étions a été arrosé par un avion du DEA (agence du gouvernement américain chargée du respect des lois antidrogues). On a vécu, une histoire d'horreur. Au beau milieu de cette agitation, Nadine s'est aperçue que j'avais recommencé à fumer la cigarette. Je crois que c'est la goutte qui a fait déborder le vase. Elle a décampé en me maudissant et en maudissant ma faiblesse pour la nicotine. Le lendemain, elle bouclait ses valises et partait avec les enfants, chez ses parents dans le Midwest. La phrase du *I-Ching* me hante depuis ce jour fatidique.

J'ai été trois semaines sans dessoûler. Je pensais mourir. On aurait dit que le ciel m'était tombé sur la tête. Quand j'ai retrouvé mes esprits, je suis parti en stop pour la retrouver. On a vécu plusieurs mois chez ses parents — et puis on est rentrés en Californie où on a repris notre vie au sein d'une commune.

Peu après, Nadine rencontrait un homme avec qui elle est allée vivre (avec les enfants) dans le New Hampshire. Ce départ a été très dur. J'ai tenu le coup grâce à la mari et aux drogues psychédéliques que je consommais presque tout le temps. Je suis resté dans la commune près d'un an et demi pour faire office de chaman et de bibliothécaire.

Un peu avant que je ne quitte ces fonctions, on a organisé une noce monstre. On avait invité des gens de toutes les communes environnantes. Et puis j'ai pensé qu'il y aurait, parmi nos hôtes, plusieurs femmes avec qui j'avais une aventure. Situation très explosive ! Pour éviter toute confrontation, j'ai doublé la dose de LSD que je me proposais de prendre pour la soirée et...

J'ai rencontré Virginie et nous sommes tombés dans les bras l'un de l'autre. Elle connaissait la mari, mais elle n'en consommait pas, disait-elle, tous les jours — ce qui ne nous a pas empêchés de fumer comme des débiles quand elle venait me visiter. Peu après, on partait vivre à Santa Cruz, même si, à l'époque, ni Virginie ni moi ne travaillions. Je me rappelle un certain soir où, sous la tente qui nous servait d'abri, je me suis demandé: « Qu'est-ce qui se passerait si je décidais de revenir en arrière maintenant ? » Et j'ai compris que, dans la vie, il n'est pas possible de reculer, on va de l'avant, c'est tout. Il me semblait alors vivre quelque chose de magique.

J'ai été à peu près un an sans boulot. Quand je me suis trouvé du travail au sein d'une organisation communautaire, c'était à temps partiel : je devais à la fois m'acquitter des fonctions de concierge et je m'occupais de la paperasse. Assez rapidement, cependant, j'ai été promu au rang de secrétaire général. J'avais renoncé à consommer des drogues psychédéliques, mais l'alcool coulait à flots dans ma vie. Je prenais aussi quotidiennement une bonne dose de marijuana. Je me roulais un pétard à peu près aux deux heures ; je commençais le matin, en me levant, et je ne m'arrêtais que le soir, en me couchant. Je me refermais peu à peu sur moi-même.

J'étais assez libre de mon temps. Le groupe a quitté la ville pour s'installer à la campagne. Le matin, je fumais un *joint* et j'allais marcher dans la nature où il me venait les idées de romans les plus merveilleux qui soient. Mais la réalité est que je n'écrivais pratiquement jamais rien. J'étais chanceux de travailler pour des gens qui prônaient l'acceptation et la tolérance. Ailleurs, je n'aurais pas fait long feu. Je me rappelle le jour où la nouvelle directrice est arrivée. Elle était redoutable d'efficacité — et elle était en recouvrance, c'est-à-dire qu'elle ne consommait jamais de drogue : bien sûr, au début du moins, personne n'était au courant de ce détail. Je pense qu'elle m'a tout de suite assez bien jugé, mais elle n'a pas fait de vagues, elle préférait sans doute me conscientiser en douceur vers la voie de la recouvrance.

C'est à cette époque que j'ai reçu l'appel d'un éditeur qui avait été en rapport avec certains membres du groupe.

Il me proposa d'écrire un livre sur la méditation et les méthodes naturelles qui permettent d'accéder à des niveaux de conscience supérieurs. J'étais emballé. Au début, je n'ai pas pensé que le mode de vie que je menais contredisait, en quelque sorte, le propos du livre que j'entreprenais. Cependant, plus j'avançais dans mes recherches, plus il était évident que je n'arriverais jamais à traiter sérieusement le sujet en continuant à consommer pendant sa rédaction.

Au moment où, en 1984, je dressais le plan de l'ouvrage, j'avais renoncé à l'alcool et à toute forme de drogue. Mais je n'avais aucun mode de vie pour me soutenir ; j'ai fait tout ça à froid. Quand j'ai renoncé à la marijuana, j'ai compris que je n'avais besoin, au fond, d'aucun narcotique pour fonctionner normalement. Une semaine s'est écoulée et, ô merveille, j'étais toujours en vie. Je ne grimpais pas « dans les rideaux », comme on dit, et le ciel ne m'était pas encore tombé sur la tête. Cesser de consommer n'était donc pas une expérience si terrible que je l'avais d'abord cru. Et puis, que je me suis dit, ça serait bien de vivre tout le temps sans consommer. J'ai tenu le coup parce que personne autour de moi ne fumait de la mari régulièrement. Il m'est, bien sûr, arrivé de me retrouver au beau milieu de gens qui se passaient un *joint* — et j'avouerai que j'ai même souhaité être avec eux. Mais ma conscience a élevé la voix : « Ne touche à rien. Surtout pas à ça ! »

Je faisais beaucoup de recherches pour mon livre. Il était inévitable que je croise un jour les principes et le mode de vie des Douze Étapes que l'on pratique dans les mouvements anonymes, parce qu'ils rejoignaient plusieurs idées de mon livre. Entre 1984 et 1988, j'ai été seul dans mon abstinence. Quand j'ai mis la dernière main au livre, j'avais la conviction que je ne consommerais jamais plus.

Le manuscrit a été publié quelques mois plus tard. Je me rappelle m'être dit: « Je suis alcoolique, ça ne fait presque pas de doute. Mais je vais quand même, une ultime fois, essayer de contrôler ma consommation. Si ça ne marche pas, j'irai directement aux AA et je me soumettrai scrupuleusement à leur mode de vie. » J'ai recommencé à boire tout en assistant, à titre d'observateur, à diverses réunions anonymes. J'avais toujours pensé que les AA s'adonnaient à une sorte de fanatisme religieux. J'ai vite compris que j'étais grossièrement dans l'erreur. Ça m'a donné à réfléchir et j'en suis venu à la conclusion que les témoignages « des vieux membres AA » avaient quelque valeur. Valait mieux vivre sans consommer, que je me suis dit. Incidemment, les témoignages que j'ai recueillis auprès des membres NA prêchaient le même discours.

Les premiers six mois d'abstinence n'ont pas été trop pénibles. Le 8 mars 1988, Virginie, ma conjointe, prenait l'avion pour se rendre à une conférence. Je l'ai déposée à l'aéroport à onze heures de la matinée. À 23 heures, le même soir, j'étais complètement ivre. Je mettais la Première Étape dans ma vie. J'ai ce soir-là admis que le fait d'essayer de contrôler drogues et alcools était pure folie, quelque chose, pour moi, d'impossible, d'irréalisable. Ce 8 mars marque l'anniversaire de mes débuts chez les AA.

L'abstinence a fini par m'ouvrir les yeux. J'ai deviné que tant que la drogue me dominerait, ce ne serait pas moi qui dominerait la drogue. Je ne savais pas que son effet affectait la motivation et la productivité. Il faut cependant que j'admette que, dans les derniers temps, j'avais l'obscur pressentiment que je devais arrêter. Même *gelé*, il m'arrivait de penser : « Cette drogue est superficielle ; on a l'impression que tout baigne dans l'huile, mais au fond, rien n'est plus faux. » Parfois, j'allumais un *joint* et je me disais : « C'est de la merde, tu ferais mieux d'arrêter. »

Avec les années, le degré de toxicité de la mari a considérablement augmenté. Un peu avant de cesser de consommer, j'ai eu des crises d'angoisse et de paranoïa aiguës. Je fumais et mon pouls partait en flèche. Une idée me terrorisait : je pensais à tous ceux dont le cœur n'était pas assez fort pour tenir le coup. Mais ces fréquents malaises ne me dissuadaient pas de voir une alliée en la mari. La mari pour rendre le quotidien supportable et l'alcool pour s'éclater ! J'ai gâché une grande partie de ma vie avec la marijuana — une partie beaucoup trop longue, en réalité.

La recouvrance est un long processus. Il m'a fallu des années d'abstinence pour que m'apparaisse, dans toute sa folie, l'emprise que la mari exerçait sur mon esprit. Je m'étais toujours intéressé aux philosophies orientales et à la méditation ; je pensais être quelqu'un de spirituel. Quelle farce ! Tout ça n'aura été qu'un mysticisme de pacotille. La spiritualité est dans le contact conscient que l'on recherche avec une Puissance supérieure dont la voix emprunte, quelquefois, celle de nos semblables. La marijuana mine les forces vives de la spiritualité. Je n'aurais jamais pu entrer dans les AA et en recouvrance si j'avais continué à fumer du pot.

C'est fou ce que la spiritualité peut réconforter quand on se sent si isolé. Ce que j'ai appris en quelque quatre ans de recouvrance est inouï. Quand je suis entré dans les AA, j'étais comme dans la lune. J'ignorais que la spiritualité put être une force. En mai 1988, je me suis offert une heure de bain flottant et une autre de massage. Immobile dans l'eau enveloppante du bain, je regardais le ciel constellé d'étoiles. J'avais cinquante ans de vie et deux mois d'abstinence. Ma pensée erra en Orient avant de s'arrêter sur l'Inde. Je songeai que, là-bas, on divise la vie humaine en quatre cycles de vingt-cinq ans. En premier, on est jeune : c'est l'âge des bêtises. Puis, on fonde une famille et on court après la réussite professionnelle. Au 3e cycle, on trace notre chemin spirituel. Il ne reste plus, dit-on, qu'à revenir à la vie, au dernier cycle, pour témoigner de ce que l'on a été. Au seuil de la cinquantaine, je me suis demandé de quelle manière un « chemin spirituel » pouvait se manifester dans la vie d'un Occidental. En m'abandonnant à la tiédeur de l'eau, j'ai compris soudain : un immense bien-être a déferlé sur toute ma personne. « Ça y est ! », me suis-je dit, « C'est l'éveil spirituel ! » Et c'est à ce moment que la spiritualité est entrée dans ma vie.

J'avais toujours vu en la directrice de l'organisation communautaire pour laquelle je travaillais une empêcheuse de tourner en rond — pour la drogue s'entend. Quand j'ai eu besoin d'un guide en recouvrance, elle a accepté de me servir de marraine — en attendant, bien sûr, que je trouve, dans les AA, un parrain qui me convienne. (Soit dit en passant, j'ai toujours le même parrain aujourd'hui.)

En recouvrance, j'ai réalisé que lorsqu'on est *gelé,* on se coupe de ses émotions et on n'arrive plus à décider par soi-même de ce qu'on veut. Avec la drogue, c'était, pour moi, toujours le goût de l'euphorie qui finissait par triompher. J'ai mis des années à réapprendre à goûter la vie

sobrement, et non artificiellement : la réalité toute nue.
J'aime aujourd'hui l'intensité du plaisir d'être immédiatement en contact (sans avoir besoin de quoi que ce soit)
avec la réalité vraie, avec le bleu du ciel, avec le tendre
vert d'un jour de printemps.

Je sens que je chemine lentement, mais sûrement.
J'ai, au tout début de mon abstinence, connu de pénibles
heures de déprime. Je me tournais alors vers ma Puissance supérieure. (Je recherche, par besoin, un contact
direct avec Elle. C'est depuis devenu une habitude
aujourd'hui.) Je sais maintenant que Dieu est beaucoup
plus que les symboles ésotériques sous lesquels on tente
de le représenter. Dieu est la vie qui passe — et avec Lui
passe son œuvre. Faire un effort pour changer d'attitude
est d'ailleurs la meilleure façon, pour moi, d'avancer dans
la vie.

Avec Virginie, ma femme, tout a changé. Avant que
j'arrête de consommer, ça ne marchait plus très fort entre nous, mais ça s'est beaucoup amélioré depuis. En cours
de recouvrance, je me suis pas mal radouci. Il fut un temps
où tout, pour moi, était noir ou blanc. Aujourd'hui, je suis
beaucoup plus nuancé. Un exemple : Virginie et moi pla-
nifions un voyage en Europe. Elle arguait qu'il fallait renoncer aux dîners que nous prenions le soir au restaurant.
« Écoute », que je lui ai dit, « ni toi ni moi ne travaillons
durant l'été. Si on remplaçait les dîners par des lunchs,
on économiserait tout de même un peu, non? » Virginie
m'a jeté un regard amusé : « Toi, t'as vraiment changé.
Hier encore t'aurais râlé en disant quelque chose comme
"Bon, fini le resto, on économise !" »

Sur le plan émotionnel, quelques blessures saignent
encore, mais les plaies se cicatrisent doucement. Certai-

nes ne sont pas guérissables. Je le sais et j'apprends, un jour à la fois, à accepter cette réalité. On dit que la recouvrance est un processus graduel. En tout cas, ma vie est bien plus belle depuis que je ne consomme plus !

Il m'est jadis venu des romans géniaux les uns plus que les autres. Mais ma créativité s'envolait toujours en fumée. Je consommais et pensais que j'étais un grand artiste, un créateur exceptionnel. Pourtant, je n'ai pas publié beaucoup à cette époque : un article par-ci, par-là, un bulletin de nouvelles et un livre. Un seul. Je griffonnais beaucoup de choses, mais je laissais tout en plan et s'il m'arrivait, par chance, de finir un manuscrit, je ne m'occupais même pas de le faire publier. Depuis seulement huit années d'abstinence, j'ai publié neuf livres. Je travaille actuellement sur trois autres romans !

Je me dis souvent que ce culte que je vouais à l'anticonformisme d'une culture axée sur l'excentricité et la marginalité a sans doute favorisé ma dépendance. À mon époque, on vouait un véritable culte aux chevelus qui chantaient leur souffrance, leur tourment et l'ivresse de la drogue. Moi, j'ai cru en tout ça. Aujourd'hui, je dis à mes étudiants : « Les géants de la littérature américaine ont pondu des chefs-d'œuvre sous l'influence de la drogue ; mais Dieu sait ce qu'ils auraient écrit s'ils avaient été dans leur état normal, sans leur dépendance ! »

Je profite tellement de la vie aujourd'hui ! J'ai beau avoir pratiqué la recouvrance pendant six ans, je ne sais pas tout. J'ai dernièrement médité sur la profondeur du mal que j'ai enduré et que j'ai fait endurer aux gens que j'aimais quand je consommais. Ces années ont été tellement négatives. Et dire que j'étais convaincu que la marijuana était une drogue de rien du tout !

Chapitre Huit

Élise

Huit ans d'abstinence
Maman à plein temps
et travailleuse autonome
dans l'industrie du cinéma
45 ans

Je suis la troisième de la famille et l'aînée des filles. Je suis née à la suite d'un long et pénible accouchement ; toutes sortes de complications semblaient avoir sérieusement miné mes capacités motrices. Les docteurs pensaient que j'étais vouée à une mort précoce. Ils ont suggéré à mes parents de ne pas se faire trop d'illusions à mon sujet. Je souffrais probablement de paralysie cérébrale : certaines parties de mon cerveau paraissaient irrémédiablement endommagées. Il semble que quelque chose, dans ma tête, s'était mal emboîté — ce qui a considérablement inquiété mes parents. J'avais tout juste quelques mois quand ils ont consulté un ostéopathe pour mes problèmes de santé. L'homme manipula vigoureusement les os de ma boîte crânienne pour libérer, disait-il, la pression enfermée sur mon cerveau. Nous sommes retournés le voir plusieurs fois. Maman m'a raconté que ces séances m'étaient un enfer : je hurlais d'un bout à l'autre du traitement. Mais cette étonnante médecine a guéri mon mal. Si ma vue accuse une certaine faiblesse aujourd'hui et s'il m'arrive encore d'éprouver des troubles de coordination, je peux tout de même dire que je m'en suis assez bien tirée.

Maman avait une vision bien arrêtée de ce que devait être notre famille ; nous n'étions pas comme les autres, nous étions « différents », « spéciaux », « meilleurs qu'eux ». Cette attitude a fait fuir un bon nombre de ceux et celles qui nous approchaient. Et puis, j'avais un frère aîné qui m'en voulait terriblement. Né dix-huit mois avant moi, je lui avais en quelque sorte volé l'attention de ma mère qui était littéralement obsédée par ma santé. Mon frangin ne ratait jamais une occasion de m'humilier. J'ai très jeune appris à ne jamais le contrarier, de peur qu'il ne se fâche. Je vois dans cette attitude l'origine de l'un des traits de ma codépendance qui, plus tard, devait se manifester dans certaines de mes relations amoureuses, dans celles, à tout le moins, où mes conjoints étaient des hommes d'humeur instable. J'ignore comment je suis devenue la petite fille douce, serviable et naïve que je revois sur les photos de mon enfance, et ce, malgré les mauvaises plaisanteries des autres enfants dont j'étais souvent l'objet parce que, physiquement, j'étais différente. Je ne savais pas me protéger de la méchanceté des autres ; je savais seulement comment être.

L'alcoolisme sévissait dans ma famille, en premier lieu chez mes parents qui commençaient généralement à boire en fin de journée. Je revois maman cuisiner le repas et se verser à boire en même temps. Elle ouvrait fréquemment la porte d'une petite armoire où elle gardait une pleine bouteille de gin. On se mettait à table et elle avait de la difficulté à articuler ses phrases. Nous savions alors que les plats allaient être trop cuits. Quand elle avait bu, ma mère prenait un ton arrogant, comme si l'alcool avait eu le pouvoir de décupler sa tendance naturelle à tout contrôler. Papa était un homme plutôt dépressif. Quand il n'était pas en train de se remettre d'une gueule de bois, il se torturait l'esprit avec toutes sortes de questions existentielles. Il voyait rouge quand l'un de nous faisait preuve d'un peu trop d'exubérance en sa présence. Quand il avait un verre dans le nez, il était enjoué, expansif. Papa avait quelque chose du docteur Jekyll et de monsieur Hyde. En sa présence, on marchait sur des œufs. Maman le surprotégeait ; elle n'avait pas son pareil pour camoufler ses conneries, pour lui donner, en apparence du moins, une meilleure image. L'aura de mystère et de secret qu'elle s'efforçait de créer autour de la famille nous isolait du monde.

Mes parents ont eu six enfants en tout : trois filles et trois garçons. Nous vivions dans le sud des États-Unis. Mes parents voyaient d'un bon œil notre participation aux activités parascolaires. Je réussissais très bien à l'école en dépit du fait que les médecins ne m'avaient jadis pas prédit un brillant avenir quand ils avaient donné à entendre à mes parents que je serais sans doute faible d'esprit. Je me suis particulièrement distinguée en natation et ce sport a pris presque toute la place dans ma vie d'enfant.

Quand est venu le temps d'aller à l'université, j'ai choisi une institution pédagogique aux méthodes alternatives située dans le Midwest américain. Il me semble que j'étais prête pour une certaine forme de changement dans ma vie. On étudiait au cours du premier semestre et on passait le second sur le marché du travail. Ce n'était pas facile de se faire des amis : les gens allaient et venaient sans arrêt. J'ai appris à deviner assez vite à qui j'avais affaire. Les évaluations au second semestre étaient simples : réussite ou échec. C'était assez facile de passer inaperçue.

Un mois après mes débuts à l'université, un gars, qui me plaisait bien, m'a invitée chez lui pour m'initier au *pot*. Des amis à lui, qui logeaient au même endroit, s'étaient joints à nous. Nous avons fumé avec une petite pipe. Ça brûlait dans ma gorge et mes poumons quand j'ai inspiré ; je me suis même étouffée, mais ça ne m'a pas dissuadée de suivre leurs instructions à la lettre et de retenir ma respiration. La drogue m'a fait tout un effet. Tout paraissait étrange et lointain. Saisissant l'occasion, le mec en a profité pour m'embrasser en faisant bouger ses lèvres comme des vers de terre. J'étais stupéfaite et mécontente : c'était mon premier baiser sur la bouche. Mais cette expérience pénible ne m'a pas empêchée de renouveler l'expérience de la mari ; de toute évidence, cette drogue avait quelque chose qui m'attirait irrésistiblement.

Je ne faisais pas qu'aller à l'école. Je m'intéressais aussi activement aux garçons, au phénomène social de la drogue et aux protestations contre la guerre du Viêt Nam. Je ne peux pas dire que la drogue me préoccupait beaucoup l'année où je suis entrée à l'université, même si j'y ai assez vite pris goût. On se réunissait, on consommait, on se lançait dans de longues discussions philosophiques — et on riait beaucoup. Enfin, j'avais l'impression d'être avec des gens normaux ; c'était bon de sortir de l'atmosphère aliénante de la famille où il fallait ne pas être comme les autres, il fallait être « meilleurs ». Ce sont les amis avec qui je consommais de la drogue à l'université qui m'ont appris le sens du mot solidarité ; je me sentais en sécurité, protégée parmi eux. Je crois que mon attachement à la mari vient de là : je me croyais à l'abri dans un cocon.

Je n'ai cependant pas tardé à me rendre compte que quelque chose n'allait pas entre moi et la mari. Je n'arrivais pas à me la sortir de la tête et je recherchais presque exclusivement la compagnie de ceux et celles qui en avaient en réserve. J'allais les voir et j'étirais ma visite jusqu'à ce qu'ils m'en offrent un peu. Je n'avais pas encore commencé à fumer toute seule ; les moments où je consommais avec des amis me plaisaient beaucoup, mais quelque chose en moi me disait qu'il n'était pas normal d'être à ce point attirée, voire obsédée, par cette drogue. À la faculté, je me suis ouverte en pleurant à un conseiller pédagogique. Il me dit que j'arriverais sans doute assez facilement à me défaire de cette habitude si j'arrivais à m'intéresser à autre chose, au théâtre, par exemple. C'était une excellente idée, mais ses conseils n'ont pas chassé mon désespoir de sentir l'irrésistible ascendant que la mari avait sur moi. J'en rêvais : rien ne me semblait plus séduisant que l'ivresse de la drogue.

J'ai terminé ma première année d'université et je suis allée passer l'été au Mexique. Je parlais espagnol et, à l'époque, je songeais à me spécialiser dans l'étude des langues. Je me suis bien amusée au Mexique, mais j'ai aussi terriblement souffert du manque. Les lois antidrogues étaient très sévères là-bas et je ne voulais courir aucun risque ; je me suis donc rabattue sur le tabac. Mais l'effet de la nicotine n'avait rien d'aussi satisfaisant que celui de la mari. J'ai donc assez rapidement renoncé à cette habitude.

Aux États-Unis, je sortais avec un garçon qui ne fumait pas de mari. En rentrant du Mexique, nous avons passé quelques semaines ensemble avant que je ne reparte pour l'Amérique du Sud. Il s'agissait d'un programme d'échanges où les étudiants logeaient chez des familles colombiennes. Défier la loi en pays étranger était une limite que je n'étais pas prête à franchir, mais j'ai tout de même trouvé de quoi fumer un peu chez des étudiants colombiens qui avaient leur propre appartement. C'était idéal pour consommer. Nous n'aurions jamais osé fumer chez les familles qui nous hébergeaient. Quelle merveille que la marijuana colombienne ! Elle était beaucoup plus forte que tout ce que j'avais jusque-là essayé.

En Colombie, j'ai rencontré une étudiante originaire du Midwest américain avec qui je me suis rapidement liée d'amitié. J'ai d'agréables souvenirs des *trips* que nous avons faits ensemble ; on s'attardait sur les mêmes détails et on se livrait à des jeux de mots complètement débiles. Nous étions ensemble quand j'ai fait la connaissance d'un artiste colombien qui m'a plu du premier coup. Lui et moi n'avons pas tardé à devenir très proches.

Entre-temps, les dernières lettres que j'avais fait parvenir à mon petit ami, aux États-Unis, étaient demeurées sans réponse. Mais j'ai appris de mon frère (celui qui est né tout de suite après moi et qui fréquentait la même institution) qu'il s'était fait une autre copine. Ça m'a brisé le cœur. J'ai pleuré pendant des jours et des jours. Je crois que c'est cette histoire qui m'a fait croire que les gars ne respectent jamais une fille qui, comme moi, a la naïveté de toujours accorder le bénéfice du doute à l'autre. J'étais une âme sensible qui avait besoin de protection. La marijuana comblait ce besoin.

Peu après, le Colombien, sur qui j'avais jeté mon dévolu, devint mon amant. Je trouvais parfaitement justifiable que nous soyons tout le temps *gelés* : je me disais qu'on communiquait mieux ainsi. Je n'avais pas non plus à craindre d'être blessée : je me disais que je ne l'aimais pas vraiment d'amour. La mari m'empêchait d'assumer complètement mes sentiments ; elle mettait un écran protecteur entre moi et le monde, j'étais comme dans un cocon. Quand je fumais, je me sentais invulnérable sur le plan émotionnel.

Le programme d'échanges a pris fin. Mais ma copine et moi sommes restées en Colombie en nous disant que, pour le trimestre que nous devions passer sur le marché du travail, nous pourrions gagner notre vie en donnant des cours d'anglais. Je venais tout juste d'avoir vingt ans. On donnait quelque chose comme huit à neuf cours par jour. Ça nous a permis d'avoir un appartement. Mais on ne faisait pas attention à notre santé. On mangeait surtout des œufs à la coque et du pain doré. On faisait aussi la fête tous les soirs en consommant beaucoup de mari. Elle ne coûtait pratiquement rien ! J'ai commencé à consommer le matin, en me levant, avant même de me rendre chez les élèves. Ma copine me regarda d'un drôle d'air quand elle s'en est aperçue. Mais je n'avais pas mon pareil pour rationaliser ma conduite. Je disais que c'était pour me faciliter la vie. Je devais en effet, le matin, prendre l'autobus dans lequel les passagers s'entassaient comme des sardines. Des mains anonymes profitaient souvent de la cohue pour me toucher. C'était désagréable, mais la drogue *gelait* mon sentiment de répugnance. Ce qui faisait par contre problème était que vers le milieu de la matinée, j'avais désespérément besoin d'un autre *joint*. Je voulais courir à la toilette pour m'en rouler un, mais j'avais peur et je n'osais jamais.

Le soir, avec ma copine, on fumait comme des défoncées. Trois mois après avoir loué cet appartement, on s'est demandé : « On rentre ou on reste ? » Et on a décidé de rentrer au pays. Je sentais que quelque chose ne tournait pas rond dans ma vie, quelque chose qui avait vaguement trait à la marijuana. Je me disais que le fait de rentrer au pays serait salutaire pour moi. Ce qui ne m'a pas empêchée de passer plus de cent cinquante grammes de mari en fraude dans mon slip et cent cinquante autres dans ma longue chevelure nouée. Ma copine fit de même et nous étions très anxieuses devant les douaniers, mais on avait aussi la conviction que le coup allait réussir. On ne s'était pas trompées. On s'est séparées à la suite de cette aventure et je ne l'ai jamais revue.

J'ai repris mes études à l'université. J'ai vendu la drogue aux étudiants du campus et j'ai été étonnée du prix qu'on m'en a donné. C'est à cette époque que j'ai commencé à assister aux cours sous l'influence de la mari. Je pensais qu'elle donnait du piquant à l'enseignement du prof. Parfois, je croyais aussi qu'elle me permettait de formuler de brillantes remarques, mais il m'est déjà arrivé de me fourvoyer au beau milieu de mon explication et de tout laisser en plan.

Je ne me rappelle plus trop comment j'en suis venue à fumer de plus en plus quand j'étais seule. J'ai remarqué, à l'époque (quoique, maintenant que j'y repense, c'était peut-être un peu après), que le mur érigé par la mari entre moi et le monde s'épaississait chaque jour un peu plus. Une image saisissante me revient de mon temps à l'université. Je me revois assise à une fenêtre en train de fumer un *joint*. Il fait quarante degrés sous zéro et la fenêtre est ouverte pour que la fumée sorte dehors. J'espère ainsi tromper la vigilance de mes colocataires à qui je veux cacher que je fume presque tout le temps.

C'est au cours de mon avant-dernier semestre d'études que j'ai commencé à fumer aussi en matinée. J'avais déniché un poste d'assistante professeure dans une ville de la Côte Est et je devais prendre le métro pour m'y rendre ; mais, certains jours, j'étais tellement déprimée et droguée que je renonçais à mi-chemin ; je rentrais à la maison où je passais ma journée à me *geler*. Les jours où je me rendais à l'école, l'enseignante que j'étais censée assister ne me donnait pratiquement rien à faire et je bâillais d'ennui. Ce travail aurait pu être une aventure passionnante ; il était, en fait, insupportable.

À mon retour au collège, je suis tombée éperdument amoureuse. Le type ne prenait pas de mari et j'ai pensé que ce serait un bon moyen de diminuer puisqu'on était pratiquement toujours ensemble. Nos amis étaient des gens qui ne consommaient pas non plus ; ce fut bénéfique pour moi de réduire ma consommation pour un temps : je recommençais à m'ouvrir aux autres. Le semestre suivant, notre amour s'est effrité et l'oiseau s'est envolé. Tout le reste de l'année scolaire, l'idée de le reconquérir ne me quitta pas.

Mon frère étudiait à la même institution que moi, mais nous ne nous fréquentions pas. Il fumait aussi du *pot,* mais il préférait l'alcool. Chez nos parents, cependant, on consommait surtout de la mari — ce qui épatait les plus jeunes de la famille.

Chez mes parents, je fumais tout le temps. Cette maison me rappelait l'histoire de ma vie et réveillait une foule d'émotions refoulées. Je parle bien sûr des questions que l'on est censé résoudre à la fin de l'adolescence et au début de l'âge adulte : l'idée de couper le cordon ombilical ou encore celle, pour une fille, de briser les liens de codépendance avec son père, ou de se défaire de la haine dirigée contre sa propre mère. Moi, à l'époque, j'étais complètement en dehors de tout ça. Sur le plan émotionnel, je n'avais tout simplement pas grandi, j'étais incapable d'affronter de telles situations. Une seule chose m'importait : chez mes parents, je n'étais pas à l'aise et la marijuana m'aidait à assumer cette inconfortable situation. Je ne m'en privais donc pas.

L'époque où j'ai terminé mes études a marqué de manière significative ma dépendance à la mari. Je ne savais pas vers quoi me tourner dans la vie. Maman m'exhortait à rentrer ; elle m'avait même trouvé du travail. J'ai donc recommencé à consommer tous les jours. Je vivais dans un petit appartement d'un immeuble qui appartenait à mes parents. J'assurais les services de conciergerie et, en retour, je disposais de ma place à moi. Pendant tout l'été, j'ai parcouru à vélo les dix kilomètres qui me séparaient du travail. Tout ce dont je me rappelle de cette époque est que je fumais de la mari parce que je ne voulais pas sentir la tristesse, la solitude et la douleur qui m'habitaient. Il y avait un parc tout près de mon travail et le midi, j'allais y prendre une marche tout en fumant un *joint*. Un jour, en rentrant, mon superviseur m'a demandé pourquoi j'avais les yeux rougis. (La Visine est par la suite souvent venue à la rescousse.) Cet été-là en aura été un d'isolement.

Au début de l'automne, je suis retournée à l'université avec l'idée d'y poursuivre des études avancées. Je n'étais tenue que d'assister au cours, je n'avais pas à faire les examens. J'ai aussi passé beaucoup de temps à manœuvrer pour reconquérir mon ex-petit ami, mais ça n'a pas marché. Je fumais beaucoup de mari et je gagnais un peu d'argent en travaillant comme femme de ménage ou comme gardienne à la plage, des emplois de second ordre. Je ne savais pas du tout où je m'en allais dans la vie. Au mois de mars, j'ai compris que mon idée d'entreprendre des études avancées ne répondait en fait à aucun besoin concret. Ayant fait parvenir quelques curriculum vitæ à des entreprises, je suis rentrée chez mes parents dans l'attente des résultats. Quelques jours plus tard, une personne que j'avais rencontrée au collège me passa un coup de fil : elle me proposait du travail à Los Angeles. J'ai vite renoncé aux études avancées et je suis partie pour la Californie. Je me disais qu'un changement géographique me ferait du bien.

Mais à Los Angeles, j'ai continué à fumer de la mari tous les jours. En fait, entre 1971 et 1986, année où je suis entrée en recouvrance, je n'ai jamais diminué de rythme. Voyons voir... Ça commençait avec un *joint* le matin avant d'aller travailler ; j'en fumais un autre le midi et un autre encore en fin de journée sitôt que je rentrais à la maison, et j'en avais toujours un ou deux en réserve pour la soirée. Je consommais quotidiennement quatre à cinq *joints*.

À Los Angeles, la vie a recommencé à me sourire. Je me suis fait un cercle d'amies intimes. On se réunissait, on fumait de la mari, on causait pendant des heures. Je redécouvrais la solidarité humaine et ça me rappelait mes débuts à l'université. La marijuana devenait de nouveau un outil de socialisation, de plaisir. En 1973, j'ai connu mon futur mari. Jonathan avait un faible pour l'alcool et j'ai commencé à boire régulièrement avec lui.

Mon travail avait quelque chose de dérangeant. Derrière un miroir sans tain, je filmais sur vidéocassettes des sessions de thérapies familiales. Toute la journée je regardais des gens qui s'entre-déchiraient et leur souffrance me bouleversait. « Il fallait » que je consomme, j'avais besoin de la mari pour me détacher émotionnellement de cette réalité — ce qui, bien sûr, n'allait pas sans inconvénients. Je confondais les heures de rendez-vous et d'autres détails. C'est devenu, pour moi, comme un défi : jusqu'à quel point, pouvais-je travailler tout en étant *gelée* et sans que personne ne s'en rende compte ? On aurait dit que je compétitionnais avec la drogue pour savoir qui, d'elle ou de moi, finirait par l'emporter.

J'ai travaillé pour cette firme pendant cinq ans. En 1976, j'ai démissionné et je suis allée en Amérique du Sud avec une copine. Cette aventure montre à quel point mon système de valeurs avait changé depuis mon premier séjour là-bas. J'avais apporté un peu de mari avec moi, mais sitôt ma réserve épuisée, il m'en fallait absolument d'autre — et j'en ai trouvé au beau milieu de l'Amazonie ! Je savais pourtant à quel point c'était dangereux de posséder de la drogue dans ce pays. Les gars avec qui on sortait sont venus nous rejoindre à Bogota. Je nous revois tous les quatre dans un parc. Ma copine et moi étions en train de fumer quand un policier nous a repérées. On a vite éteint le *joint,* mais il s'est approché et nous a ordonné de vider nos poches. Il a trouvé le pétard qui nous restait. Quand il a dit « Suivez-moi ! », mon copain lui a demandé : « Monsieur l'agent, peut-être pourrions-nous tout de suite payer l'amende ? » L'agent s'est éloigné avec les cinquante dollars que nous lui avons refilés. Et dire que nous aurions pu faire de la prison pendant d'interminables années ! Mon besoin de fumer venait de mettre en danger la vie de quatre personnes. Ce fut l'un des moments de ma consommation où j'ai entendu la voix de la réalité qui me glissait à l'oreille : « C'est ridicule de risquer ainsi sa vie. » Mais je ne voulais rien entendre.

Ce voyage me rappelle une autre anecdote qu'il me faut vous conter. J'avais planté, dans la cour arrière de notre appartement de Los Angeles, une dizaine de plants de marijuana. Je m'étais également procuré un lapin, puisqu'on disait que la crotte de lapin faisait de l'excellent engrais pour le pot. Jonathan était sous la douche quand, un jour, un policier, arme au poing, sonna à notre porte. Il répondait à l'appel d'une personne qui disait avoir entendu des coups de feu dans notre édifice. L'agent est entré et a inspecté les pièces de l'appartement, mais il n'a pas vu les plants de mari, à l'extérieur. Heureusement d'ailleurs, parce que Jonathan aurait certainement fini en prison. Nous n'avons jamais su qui avait téléphoné à la police. Peut-être l'agent s'était-il tout simplement trompé d'adresse ? C'était la seconde fois que la justice se mettait le nez dans mes affaires à cause de la mari. Jonathan n'a rien dit, comme il l'avait fait d'ailleurs à Bogota. En fait, il n'a jamais formulé le moindre reproche sur mes habitudes de drogue et tous les ennuis qu'elle a failli nous causer. Quand j'ai récolté la drogue et que je l'ai mise en vente, il n'a rien dit non plus.

Ça n'a du reste pas été la plus brillante affaire de ma vie. Il y avait un type qui voulait m'acheter un demi-kilo. Je n'avais pas de balance pour la pesée. J'ai pris un vulgaire bâton de jardin et j'ai acheté au marché une miche de pain qui devait faire cinq cents grammes et je l'ai suspendue à un bout du bâton pour en faire une ba-

lance. Le type m'a retéléphoné. Il vociférait : « Il manque
au moins cinquante grammes ! » Je lui ai donné ce qu'il
voulait. Quelques jours plus tard, nous étions victimes
d'un cambriolage. Seule la drogue avait disparu. J'étais
furieuse ! J'aurais voulu aller à la police, mais je ne pouvais pas. Huit ans plus tard, le type a été assassiné.

À mon retour d'Amérique du Sud, je me suis trouvé
du travail dans une station de télévision qui diffusait des
émissions en langues étrangères. C'est à cette époque
que j'ai pris l'habitude de me cacher de Jonathan quand
l'envie de fumer me prenait. J'allais marcher dehors ou
je fumais dans la salle de bain. Mais il faisait comme si
de rien n'était. Au bureau, j'allais fumer dans les toilettes. Un jour, une collègue de travail m'a dit : « Je suis
allée aux toilettes ce matin et ça empestait la marijuana. »
J'ai répondu : « Voyons donc ! Personne ici n'oserait faire
une chose pareille. »

L'histoire se répétait : « À quel point Élise penses-tu
être capable de te *geler* sans te fourvoyer royalement en
montant ce film ? » Je me suis convaincue que l'action
sédative de la mari m'aidait à lutter contre le stress du
bureau. Une demi-journée sans consommer et j'étais à
prendre avec des pincettes.

Jonathan et moi avons déménagé dans le nord-ouest
des États-Unis, en 1979. L'une de mes sœurs habitait
cette région ; nous avions, elle et moi, une passion commune pour la mari. La mode était alors au *sinsemilla,*
une variété californienne extrêmement puissante. Ma
sœur et moi en cultivions, chez nous, dans une pièce spé-
cialement éclairée à cet effet. Le jour où il a fallu déménager, on a mis fin à notre carrière d'horticultrices d'une
manière qui montre à quel point j'étais irresponsable.

On a démonté nos installations et on s'est procuré une vieille camionnette dans laquelle on a chargé le matériel et les plants. Il fallait traverser une bonne partie de la ville et je suis tombée en panne en chemin. On tombait sur les flics et notre compte était bon ! On a tout donné à l'une de nos connaissances. Quelques jours plus tard ma sœur regretta sa décision et nous sommes retournées chez le type avec la camionnette pour chercher notre marchandise. Quelle stupidité ! On a tué des gens pour moins que ça. Le type ne voulait rien entendre, mais on a quand même réussi à tout récupérer.

Jonathan et moi souhaitions avoir des enfants. (C'était à l'époque où je fumais du *sinsemilla*.) Mais je n'arrivais pas à tomber enceinte et ça me torturait. Voulez-vous savoir comment j'essayais de résoudre mon problème de stérilité ? En fumant encore plus de mari, naturellement. Parmi mes collègues de travail, il y avait un type qui occupait un petit bureau à l'écart où il fumait de la drogue sans arrêt. De toute ma vie, je n'ai jamais vu un tel accro. Il vendait aussi de la mari dans son bureau, d'une odeur fortement musquée et d'une toxicité redoutable. Dieu que cette drogue *gelait* dur ! Je suis tombée dedans à pieds joints. Lui et moi, on en fumait toute la journée et j'ai connu l'obsession du manque. Je voulais en consommer tout le temps ; j'aimais tellement l'euphorie que ce *pot* produisait. Mon travail réclamait pourtant de la précision ; je devais en effet effectuer des calculs complexes, procéder avec une logique rigoureuse, mémoriser une foule de détails. Comme la mari compliquait ma vie professionnelle, j'ai décidé de quitter mon travail. Je me disais que je serais ainsi moins stressée — ce qui augmenterait mes chances de tomber enceinte. Quand, aujourd'hui, je repense à tout ça, je me dis que je devais être en pleine crise du syndrome de désinvestissement général. C'est juste que je l'ignorais.

J'ai trouvé un boulot beaucoup moins exigeant et moins stressant, mais la drogue de mon ex-coéquipier que je consommais toujours réduisait au minimum ma capacité de fonctionner. J'avais besoin d'une montre qui sonnait à des heures précises afin de me rappeler certaines tâches à accomplir. Parfois, elle se mettait à sonner sans que je n'en sache la raison. J'ai tenté de pallier à cet inconvénient en faisant des exercices de mémorisation et de récapitulation de mes tâches. Le petit jeu du défi auquel je m'étais autrefois livrée reprenait de plus belle, mais il comportait désormais un élément inédit que je n'ai identifié que beaucoup plus tard, un élément ayant trait à l'idée d'être quelqu'un de « spécial », idée que ma mère nous avait inculquée. Puisque j'étais « meilleure que les autres », il était impossible que je ne trouve pas de solution au problème qui me faisait souffrir. N'avais-je pas surmonté mes handicaps de jeunesse ? Nul doute que j'étais aujourd'hui en mesure de surmonter mon obsession de la marijuana. J'avais mes petits secrets qui faisaient de moi une personne « spéciale, meilleure que les autres, différente ». Les croyances du passé me tuaient à petit feu. Dieu sait ce que j'aurais pu accomplir si je n'avais pas été accrochée à la mari ! Mais j'anticipe ici sur mon propos. Revenons à nos moutons. À cette époque, ma conscience rationalisait que mon travail était tellement facile que le petit jeu du défi que je jouais autrefois, à Los Angeles, avait repris de plus belle : que si je me « gelais », mon travail deviendrait plus difficile, donc un genre de défi.

Jonathan et moi avons finalement adopté un garçon. Je ne travaillais que les week-ends. Les jours de la

semaine, je m'occupais de Paul. Jonathan prenait la relève les fins de semaine. J'étais toute seule la semaine
avec notre fils — ce qui a modifié mes habitudes de consommation : je ne me permettais de fumer que lorsqu'il
dormait ou quand on allait se balader. Par contre, j'ai
commencé à boire un peu plus au cours de la soirée.

Paul avait un caractère très irritable. La mari me
permettait de me distancer de ses sentiments. Ma consommation de drogue a donc peu à peu repris — ce qui
n'a pas été sans conséquences. En refoulant ainsi mes
émotions, je ne sentais pas la pression intérieure qui finissait toujours par devenir trop forte. Je piquais des co-
lères qui déroutaient mon fils et me laissaient totalement
ahurie. En fait, je raisonnais tout de travers en me disant que lorsque j'avais fumé, je me sentais d'humeur à
jouer avec Paul. Je m'arrangeais encore pour trouver à
la mari quelque chose de positif.

À un moment donné cependant, elle a commencé à
miner ma relation avec Jonathan. Quand je *dégelais,* je
me sentais misérable et j'en reportais tout le blâme sur
lui. Le monde illusoire, le cocon, dans lequel m'enfermait
la marijuana minait notre communication.

Et puis un jour, j'ai découvert l'effet d'un verre ou
deux d'alcool avant de fumer un joint. La drogue contre-
balançait les effets de l'alcool. J'aimais bien le genre
d'euphorie dans laquelle cette combinaison me plongeait.
J'ai donc résolu de boire un peu plus souvent.

Nous avons déménagé dans la baie de San Francisco en 1982. Je ne connaissais personne là-bas. Au travail, j'ai découvert un type qui vendait de la mari à 10 $
pour un gramme. Pour minimiser les pertes, j'ai résolu
de la fumer avec une pipe. À l'époque, la cocaïne était

très à la mode. J'y ai goûté une fois, mais, Dieu merci, ça m'a mis les nerfs en boule et je n'y ai pas retouché.

C'est à cette époque que je me suis aperçue que mes poumons étaient en très mauvais état. J'ai toujours été sujette aux toussotements, mais, quand nous avons emménagé dans la banlieue de San Francisco, la situation s'est beaucoup détériorée. Je toussais tout le temps : le matin, le soir, quand j'étais bourrée. On aurait cru que je souffrais d'emphysème : j'avais la respiration sifflante ponctuée d'abominables quintes de toux. J'en étais rendue, croyais-je, au point où il me semblait que je n'arrêtais jamais de tousser. Inquiet, Jonathan a fini par me demander pourquoi je fumais et je buvais autant. Honnêtement, je lui ai répondu : « Parce que je ne peux pas arrêter. » C'était un an avant que j'entre en recouvrance.

Deux ans après notre déménagement dans la région de San Francisco, nous avons adopté notre second enfant, le premier ayant alors 3 ans. Je me suis *gelée* tout le temps qu'a duré le processus d'adoption ; j'ai même fumé un *joint* en me rendant à l'hôpital pour y prendre la petite après sa naissance. Je fumais pendant la journée, sans attendre les siestes des enfants. Quand j'y pense aujourd'hui, ça me rend très triste.

Jonathan et moi avions de plus en plus de problèmes de couple et je souffrais d'insomnie. Je ne me doutais pas que l'alcool en était la cause. Peu après, je consultais notre médecin de famille parce que je me sentais tout le temps au bout du rouleau. Il a dit que le fait d'avoir deux enfants sur les bras n'était pas de tout repos. Je lui ai avoué que je fumais beaucoup de mari et que je prenais pas mal d'alcool. Il m'a remis un feuillet où figuraient une vingtaine de questions pour déterminer si on est alcoolique. Il m'a suggéré de le remplir et d'essayer de ne pas consommer pendant une semaine. Ça n'a pas marché. Ça ne pouvait pas marcher ! Je venais de traverser une semaine « particulièrement difficile » où beaucoup de changements avaient eu lieu. J'ai dit au docteur de ne pas s'inquiéter : je trouverais bien une solution à mon problème.

Un an plus tard, j'étais de nouveau à son bureau à lui chanter la même chanson. Il m'a recommandé une thérapie fermée. Je lui ai rappelé que j'avais deux jeunes enfants à ma charge. Il n'était donc pas question d'entreprendre pareille démarche. Mais le docteur a ajouté : « Il y a toujours la possibilité d'une thérapie externe, vous savez. » Je suis partie de son bureau et je suis allée directement au centre qu'il m'avait indiqué. Je leur ai déclaré : « Il faut que je fasse quelque chose, il faut que j'arrête de consommer, mon mari s'en va en voyage d'affaires. » Et je savais que j'étais incapable de me débrouiller sans Jonathan pendant toute une semaine. J'en avais assez de tousser tout le temps et de ne pas être capable de dormir convenablement. Ça me dégoûtait d'élever des enfants dans une telle atmosphère. Je savais, d'autre part, qu'il ne me restait presque plus de marijuana. Il fallait que je profite du moment où j'allais être à court pour arrêter. Je ne voulais plus en acheter.

J'ai été admise sur-le-champ. Le soir même, avant qu'il ne me prenne l'envie de tout annuler, je passais, une première fois, en consultation. Une semaine plus tard, il m'est venu une vision extraordinaire. Je me suis revue vingt ans auparavant — à l'époque où je suis devenue dépendante de la mari — et je me disais que rien, dans ma vie, n'avait sensiblement changé depuis. J'avais toujours la mentalité d'une fille de vingt ans et tout était à refaire. Vingt années envolées en fumée ! J'avais peur de passer les vingt suivantes à rattraper le temps perdu. Je regrettais tant de choses. Je n'ai jamais oublié la force avec laquelle cette prise de conscience m'a saisie ; c'est elle, je crois, qui m'a motivée à poursuivre la thérapie.

Au début, durant le programme de traitement intensif, je ne tenais pas compte de mes besoins, je ne faisais qu'aider ceux et celles qui suivaient la thérapie avec moi. Je ne ménageais aucun effort en ce sens. En essayant d'être « meilleure que les autres » dans la pratique des principes de l'entraide, je cherchais en fait à me dérober à ma réalité. Il m'était possible de donner, mais pas de recevoir. Le thérapeute était la seule personne dont j'acceptais l'aide. Curieusement, il ne me semble pas qu'il ait alors formulé la moindre remarque sur mon petit manège, mais je dois dire que les souvenirs que je conserve de cette époque sont plutôt vagues.

Quand j'étais petite, on m'a éduquée avec l'idée qu'il n'y avait pas de Dieu. Mes parents croyaient que, dans la vie, on ne peut compter que sur soi. À force de s'entendre redire que nous étions des enfants « spéciaux », nous avons fini par nous croire omnipotents. Résultat ? Nous pensions et agissions comme si nous étions uniques au monde — avec toute l'arrogance que cela comporte. Convaincus qu'il fallait nous débrouiller par nos propres moyens, nous avons développé des mécanismes de contrôle à toute épreuve. Mais, en thérapie, on m'a fait comprendre que si je ne parvenais pas à établir une relation avec une Puissance supérieure, je ne serais jamais capable de vivre abstinente. J'étais coincée. Pour m'aider, ils m'ont suggéré de chercher l'évidence d'une intervention divine dans ma vie.

Deux semaines plus tard, je recevais un coup de téléphone d'une jeune cousine qui m'annonçait qu'elle était enceinte. Elle avait discuté avec son copain, le père de l'enfant, et ils se demandaient si Jonathan et moi accepterions de l'adopter. Il me semblait que cet appel avait quelque chose de spirituel et que c'était précisément pour cette raison que j'étais entrée en recouvrance. Sans la recouvrance, je n'aurais jamais même songé à adopter un troisième enfant. J'avais déjà passablement de difficultés avec les deux que j'avais sur les bras. Mais grâce à la recouvrance, dont je venais d'adopter le mode de vie, j'avais commencé à développer une relation de confiance avec les autres. Toutes ces circonstances m'ont amenée à réfléchir qu'il existait peut-être, dans la vie, une Puissance qui tirait les ficelles de ma destinée, une sorte de force dont je ne connaissais rien.

Désireux de nous connaître davantage, et pour se familiariser avec le milieu familial qui verrait grandir leur enfant, ma cousine et son copain sont venus passer une semaine chez nous. Ils étaient jeunes et ne se sentaient pas prêts à fonder une famille et elle ne voulait rien entendre à l'avortement. C'était une situation délicate et cette visite m'inquiétait beaucoup. Mais j'ai décidé de la vivre différemment, en utilisant quelques-uns des outils que le mode de vie de la recouvrance mettait à ma disposition : je ferais tout mon possible pour ne cultiver aucune attente, je laisserais simplement les choses arriver d'elles-mêmes, sans même essayer d'en contrôler le déroulement. Toute la semaine s'est très bien déroulée.

Ils venaient à peine de nous quitter quand j'ai reçu un appel téléphonique m'informant que ma mère souffrait d'un cancer inopérable. Ce coup de fil a, pour moi, été la preuve vivante que Dieu ne soumet pas ses créatures à des épreuves qu'elles sont incapables d'affronter. J'étais abstinente, je pratiquais les principes de la recouvrance, ma cousine et son copain étaient repartis heureux de leur visite chez nous, et le cas du bébé était résolu. J'étais prête à affronter une nouvelle difficulté — et elle était de taille ! Mais j'avais tout ce qu'il fallait pour la surmonter. Je savais que j'avais beaucoup d'amendes honorables à faire à ma mère que j'avais délaissée pendant de longues années. Je savais que je recevrais l'aide dont j'avais besoin pour accomplir mon dessein et j'ai été capable de lui montrer la mesure de mon amour pour elle. Sans le mode de vie de la recouvrance, j'aurais mêlé la drogue à cette expérience qui aurait certainement tourné au vinaigre. Abstinente, j'étais à l'écoute de mes émotions et j'ai su en tirer profit.

Quatre mois après la fin de ma thérapie externe, une amie thérapeute, consciente des nombreux problèmes qui m'empêchaient de fonctionner normalement, m'a suggéré de consulter une thérapeute professionnelle. Elle disait qu'il n'était généralement pas recommandé de suivre une thérapie privée au cours de la première année de recouvrance, mais elle connaissait une intervenante spécialiste de la dépendance aux drogues et aux psychotropes. Elle m'assura que les difficultés qui m'empêchaient actuellement de régler les problèmes existentiels que j'éprouvais étaient liées au fait que, pendant des années, j'avais refoulé mes émotions et renié mes perceptions. Pendant tout ce temps, disait-elle, j'avais laissé passer ma vie, alors qu'en réalité, j'aurais dû l'assumer. J'ai communiqué avec la thérapeute dont elle m'avait laissé les coordonnées. Ma relation avec cette femme a duré cinq ans, une relation qui compte parmi les plus importantes de toute ma vie.

Nous avons commencé par établir un lien de confiance tout en travaillant sur la nécessité de rester abstinente. Beaucoup plus tard, elle m'a fait remarquer que nos sessions avaient, au début, traversé un cycle qui se répétait périodiquement. Tout allait bien, puis vers la sixième ou la huitième session, je remettais tout en question dans le but de mettre fin à la thérapie. Plus la thérapie avançait, plus mon désir de fuite se manifestait avec force. J'avais tellement peur. Je déformais le sens de ses paroles, j'essayais de les retourner contre elle pour qu'elle endosse le blâme — ce qui m'aurait fourni le prétexte que je cherchais pour mettre fin à la thérapie. Plus nous avancions positivement, plus j'avais envie de fuir. Il lui est même arrivé de m'appeler entre deux sessions pour me convaincre de persévérer — surtout quand j'étais sûre d'avoir trouvé LA raison qui justifiait mon désir de ne plus la voir.

Elle m'a plus tard avoué qu'elle a essayé, au début, de trouver des réponses à chaque question et objection que je soulevais ; au bout d'un an cependant, elle se contentait seulement de suggérer que, peut-être, je devrais m'arrêter et prendre un peu de recul pour évaluer le travail accompli. Elle voulait que je ne me sente ni dans l'obligation de faire quoi que ce soit, ni forcée de continuer la thérapie. Ce conseil m'effrayait. Quand elle faisait ainsi reposer le pouvoir de décision sur mes seules épaules, je n'arrivais plus à rien trancher. Je me sentais coincée et j'éprouvais du ressentiment à son égard. Nous avons cependant réussi à surmonter ces difficultés. Mais j'ai quand même mis deux années avant de lui faire assez confiance pour m'ouvrir complètement à elle. Il fallait d'abord que je me prouve à moi-même que mes peurs n'étaient pas réelles ; le vrai travail ne pouvait commencer que lorsque cette barrière psychologique serait franchie.

Nous en avons souvent reparlé par la suite et j'ai compris qu'en fait, je l'utilisais pour valider une vieille idée : ma défiance naturelle des personnes appelées à jouer un rôle significatif dans ma vie ? Toutes ces luttes épuisantes n'avaient pas d'autre but que de me convaincre qu'elle était peut-être digne de confiance. Elle m'a un jour dit que, pour elle, le fait que je revienne la consulter révélait qu'une partie de moi-même, du moins, était désireuse de se rétablir et c'est à cette partie qu'elle s'adressait généralement, peu importe le degré de réceptivité dont j'étais capable, au cours de nos rencontres. Je pense qu'elle a eu foi en moi bien avant que j'aie personnellement assez confiance en moi pour suivre ses conseils et me soumettre pleinement au processus thérapeutique.

Ma thérapeute me répétait souvent, et j'ai mis du temps à comprendre, à quel point je ramenais toujours tout à la seule raison chaque fois que (en cours de traitement notamment) je sentais une émotion monter en moi. J'ai donc dû apprendre, en premier, à me défaire de cette ridicule attitude dichotomique qui faisait que, dans ma vie, j'oscillais constamment entre l'arrogance, en prétendant que je n'avais absolument rien à me reprocher, et un manque flagrant d'assurance, qui traduisait mon insécurité. Il m'est par la suite apparu que la suffisance et la perfection étaient les mécanismes de défense que j'utilisais pour maintenir l'illusion que tout allait pour le mieux dans le meilleur des mondes.

Avant d'entrer en recouvrance, je vivais dans un profond état de découragement. Je n'avais plus d'espoir en une vie meilleure et les idées de suicide revenaient périodiquement me hanter. Quelques jours après le début de mon programme de recouvrance, cet état de déprime avait disparu. Les réunions de groupes m'ont été d'une aide des plus précieuses. Je commençais à peine à fréquenter les réunions AA quand le témoignage d'un membre m'a convaincue que nous étions victimes d'une maladie. Je buvais ses paroles tout en étant à l'écoute de mes émotions. Dans une réunion anonyme, personne ne parle pour ne rien dire ; il n'était donc pas nécessaire d'essayer de prouver à qui que ce soit que je suis quelqu'un de « spécial ». D'autre part, il ne m'était pas possible de fuir en voulant aider un autre. En écoutant dans le silence le témoignage des autres membres AA, j'apprenais à m'identifier à d'autres êtres humains et à faire preuve d'humilité. J'admirais l'attitude de ceux et celles qui fréquentaient les réunions anonymes. J'aimais leur sincérité, leur authenticité.

Quand je suis entrée en recouvrance, j'avais les nerfs à vif et j'étais une perpétuelle insatisfaite. Je débordais d'une énergie que je ne savais pas canaliser. Au début, j'étais irritable et colérique au point de commettre des imprudences avec les enfants. L'orage passé, je vivais bien sûr une terrible culpabilité. J'ai compris que si j'allais définitivement renoncer au sédatif que j'avais l'habitude de prendre (la mari), il me faudrait compenser avec autre chose. Pour me calmer, j'écoutais des cassettes de relaxation et j'allais nager.

La première année de ma recouvrance, je n'ai senti nul relent de l'ivresse de la mari, mais j'ai souvent senti que j'étais sur le point de perdre la tête : les émotions me fouettaient l'âme et certaines fonctions corporelles semblaient se dérégler. Ma thérapeute m'a cependant fait remarquer que, sur le plan physiologique, les pires crises que j'ai traversées se produisaient lors de mon syndrome prémenstruel (SP). J'ai eu beaucoup de difficulté à accepter que le SP soit un handicap physique. N'avais-je pas, enfant, connu la maladie de près ? N'étais-je pas affligée de problèmes visuels ? Est-ce que je ne venais pas de découvrir que j'étais dépendante aux psychotropes ? Et voilà qu'il me fallait désormais composer avec un nouveau problème de santé ! Ce n'est que lorsque j'ai pu surmonter ma répugnance à admettre la réalité du SP chez moi que j'ai pu expérimenter diverses méthodes pour atténuer les symptômes.

Au cours de ma première année d'abstinence, j'ai vécu beaucoup d'impuissance et de colère, même si le fait d'être à l'écoute de mes émotions (lors des sessions de thérapie et des réunions anonymes) m'était d'une aide précieuse. Mais je venais à peine d'apprendre qu'il suffisait que je ne me *gèle* pas pour que je me sente différente une fois cette période passée.

Avec la recouvrance et grâce à la thérapie, j'ai continué à faire le point sur mes expériences d'enfance, sur les maladies et les troubles de vision qui m'avaient éloignée des enfants de mon âge. J'ai compris l'ampleur de la dichotomie entre cette réalité et le caractère si « spécial » que ma mère m'avait inculqué. J'ai compris tout ce que mon enfance comportait d'irréconciliable et, en même temps, comment j'avais essayé d'ignorer la souffrance qu'occasionnait le fait de vivre en contradiction avec soi, le fait que ce qu'« on » m'avait enseigné n'avait, en fait, aucun sens. Il était naturel que je cherche un palliatif dans la mari qui est entrée dans ma vie au moment précis où je ne pouvais plus supporter la déchirure entre mon vécu et mon senti. La marijuana m'a permis de vivre quinze années dans un cocon, c'est-à-dire isolée, voire dissociée, du monde. La réalité m'était trop douloureuse à supporter et j'avais besoin d'un analgésique pour y faire face, un analgésique dont je réglais moi-même la posologie.

C'est d'ailleurs l'un des aspects du caractère insidieux de la mari : elle coupe l'individu du reste du monde. Pourtant, quand on commence à consommer, on a justement l'impression que c'est pour mieux socialiser, mais l'isolement est tellement subtil qu'il passe presque inaperçu. Ce phénomène est d'ailleurs le propre de toute drogue, mais avec la mari, il y a en plus une sorte de désengagement émotif. Ainsi, mon second enfant est entré dans ma vie à l'époque la plus active de ma consommation. Faut-il s'étonner que ce soit précisément avec lui que notre couple a, sur le plan émotionnel, le plus de difficultés à intégrer à la famille. Sous l'effet de la drogue, je n'étais pas vraiment présente à ses besoins, mon esprit était ailleurs. Et quand j'étais là, mes comportements étaient imprévisibles et inconséquents. Cette attitude me rappelait l'alcoolisme de mes parents et ses effets sur notre éducation. Je crois que cette réalité a joué, plus ou moins consciemment, dans la décision que j'ai prise d'entreprendre une cure de désintoxication et, par la suite, d'aller chercher du soutien auprès d'une professionnelle.

Ma première année d'abstinence a été accaparante : sessions de thérapie privées une fois par semaine, réunions anonymes deux fois par semaine, suivi hebdomadaire au centre de désintoxication et rencontres individuelles avec le conseiller thérapeutique que l'on m'avait invitée à contacter en cas d'urgence. Mon mari, pour sa part, fréquentait les réunions Al-Anon, avait son propre suivi thérapeutique et participait aussi à des sessions de thérapie de groupe. Il n'a pas été long à constater les changements qui survenaient dans ma vie et il a eu peur que j'évolue trop vite pour me suivre. D'un commun accord, nous avons cependant décidé de nous rétablir individuellement pendant au moins deux ans avant d'envisager de changer quoi que ce soit à notre relation de couple. Il nous semblait en effet plus sage de solidifier, de part et d'autre, nos acquis respectifs de la recouvrance avant de procéder à la réévaluation des enjeux majeurs de notre couple ; par exemple, toute la question de l'intimité. La marijuana et l'éducation des jeunes enfants avaient, depuis pas mal de temps, relégué cette réalité à l'arrière-plan de nos besoins.

L'éducation des enfants aura certes été l'une des choses qui m'aura le plus préoccupée au début de la recouvrance. Il m'arrivait parfois de laisser la colère me submerger au point d'abuser verbalement les enfants ; j'avais aussi terriblement peur que cela ne dégénère en abus physiques. J'en ai beaucoup parlé en thérapie, surtout quand les symptômes du syndrome prémenstruel se manifestaient.

Ma stérilité aura également été l'une des préoccupations majeures de mes débuts dans la recouvrance. J'avais l'impression d'avoir un trou immense dans le bas du corps ; on aurait dit que mon ventre était « creux ». Je n'arrivais pas à me sentir femme à part entière ; j'avais un deuil à faire. Et comme si ce n'était pas assez, nous avons effectué cette année-là d'importants travaux de rénovation pour le petit troisième qui allait bientôt arriver. J'ai eu énormément besoin d'aide pour ne pas consommer pendant tous ces chambardements.

Le temps aidant, je me suis aussi attaquée à une foule d'autres problèmes comme la codépendance ; ma peur des figures d'autorité ; l'idée de me sentir toujours coupable (mais de quoi au juste, je ne le savais pas trop) ; apprendre sur les frontières humaines (dans l'éducation des enfants, dans ma vie) ; ma faible estime de moi ; le côté arrogant de mon caractère ; la peine que m'avait causé la mort de maman ; et le besoin d'être toujours la meilleure pour masquer les sentiments négatifs qui m'habitaient. J'ai réfléchi et discuté de tout ça en thérapie.

Cesser de ne penser qu'avec ma raison et composer avec mes émotions quand vient le temps de prendre une décision aura été l'un des objectifs les plus difficiles qu'il m'ait été donné de pratiquer en recouvrance. J'ai mis un temps fou pour y arriver — et ceux qui m'ont conseillée ont parfois été obligés de recourir à une méthode plus forte pour me faire prendre conscience de cette réalité. On aurait dit qu'autrefois le lien entre le monde du sentiment et celui de la raison avait été coupé ; il m'a fallu de fait déployer de substantiels efforts pour pallier à cette déficience, pour assurer une communication harmonieuse entre la tête, le cœur et les tripes. Malgré la peur, je suis parvenue à abattre les mécanismes de défenses qui occultaient mes émotions — et j'ai fait la paix avec moi-même.

Le cheminement a nécessité temps et efforts : cinq ans de sessions thérapeutiques individuelles et en groupe, toutes deux supervisées par une spécialiste, auxquelles il faut ajouter quelques années de thérapie en couple. Jonathan et moi avons en effet fréquenté un groupe de réunions anonymes pour couples pendant deux ans avant de suivre, pendant un an, une thérapie auprès d'un professionnel. Jonathan travaille encore avec lui aujourd'hui.

Je vous ai dit tout à l'heure que j'étais découragée à l'idée de ne pouvoir compenser pour les quelque vingt années de ma vie que j'avais perdues à consommer de la drogue. En fait, j'ai découvert que la réalité était quelque peu différente de ce à quoi je m'attendais. Vingt années n'auront pas été nécessaires pour me remettre sur les rails. Je suis partie d'où j'étais quand j'avais commencé à fumer. Aussitôt que mon corps et mon esprit ont été libres de toute influence de la drogue, la réalité m'a vite rattrapée. Il faut dire que j'étais bien conseillée ; quand j'ai eu à affronter la réalité, j'avais les outils qu'il fallait pour y faire face. La réalité a sa pression intérieure bien à elle. En recouvrance, on peut la comparer à un chaudron qui cuit les aliments sous pression : elle vous saute au visage beaucoup plus rapidement que lorsqu'on est *gelé :* un déclic intérieur vous signale qu'il est temps de passer à l'action.

J'ai eu soif pendant plusieurs mois au cours de ma première année de recouvrance, mais je ne me rappelle pas avoir éprouvé, sur le plan conscient du moins, le manque face à la marijuana. Je savais qu'il fallait à tout prix éviter les situations où quelqu'un pouvait me tendre un *joint.* J'aurais été bien incapable de prédire ma réaction : je me serais peut-être jetée dessus, ou j'aurais pris mes jambes à mon cou. Qui sait ? Je fais, depuis sept ans, le même rêve sur le pot, à peu près toutes les semaines : je rêve que, dans la réalité, je n'ai jamais cessé complètement de consommer ; il semble que je triche en fumant de temps en temps. Ce songe m'irrite au plus haut point. Je crois que le fait de rêver à la mari, sept ans après avoir cessé d'en consommer, montre l'immense pouvoir que cette drogue peut exercer sur le plan mental. Après tout, je ne rêve jamais que je prends un verre et j'étais pourtant alcoolique !

J'assiste encore aujourd'hui à des réunions anonymes. Quand j'entends parler de gens qui ont huit ou dix ans de sobriété et qui recommencent à boire, je me dis qu'il vaut mieux que je ne m'éloigne pas trop des réunions AA. Mais ne me demandez pas ce qui arriverait si je rentrais un jour à la maison pour y trouver mon frère en train d'allumer un *joint* ! Je ne sais pas si j'aurais la force de résister.

Mon aîné a maintenant douze ans ; il entre dans l'adolescence. C'est devenu un jeune homme tout à fait charmant, comme mes deux autres enfants d'ailleurs. Ils ne seraient certes pas rendus où ils en sont aujourd'hui si leurs parents n'avaient pas connu la recouvrance. Voilà maintenant sept ans que nous, Jonathan et moi, sommes en rétablissement — ce qui est beaucoup à comparer aux quelques années où nos enfants nous ont connus dans nos dépendances respectives.

La plus grande leçon que j'ai apprise du mode de vie des AA est qu'il est normal de demander de l'aide. J'ai appris ça au tout début et je n'ai pas cessé de le réapprendre depuis. Il y a beaucoup de ressources qui sont à ma disposition et que je peux utiliser quand j'en ai besoin. Mais il faut parfois que je me force à agir, que je mette en branle, pourrait-on dire, les rouages qui me poussent à l'action. Il y a toujours des situations dans ma vie qui demandent de l'attention. Par exemple, je suis en recouvrance depuis sept ans et il m'arrive encore de m'éloigner des autres ; il faut que je me force pour sortir de cet état. Aujourd'hui cependant, avec l'aide du programme des AA, c'est quelque chose qu'il m'est possible de faire.

Je ne me sens pas encore très douée en matière de relations humaines ; je manque encore de confiance en moi et je ne suis pas très à l'aise avec l'intimité. La faute en est imputable, en bonne partie je pense, à l'héritage de la marijuana et au fait que j'ai grandi comme une enfant adulte d'un alcoolique (EADA). Au cours de mes premières années d'abstinence, j'ai reporté le blâme de mes déficiences sur le fait que j'étais une enfant dans le corps d'un adulte ; mais la sobriété et la recouvrance aidant, j'ai compris que seule la mari et le vide qu'elle engendre étaient à blâmer.

Retrouver la santé, dormir d'un sommeil réparateur et me rappeler mes rêves ne sont que quelques-uns des bienfaits de la recouvrance. Mes rêves sont certes l'un des outils les plus puissants dont je dispose pour apprendre sur ma vie. Je suis aussi aujourd'hui à l'écoute de mes émotions ; je prends le temps de les vivre pleinement et de les partager avec d'autres êtres humains. Je me suis réapproprié la petite fille douce et sensible que j'étais avant de commencer à consommer de la mari. C'est d'ailleurs l'un des beaux côtés de ma personne. Aujourd'hui, je me suis défaite de l'aura de mystère qui planait sur mes rapports avec autrui à l'époque où je me *gelais* : je faisais semblant de communiquer avec eux quand, en réalité, je n'arrivais pas à sortir de l'isolement dans lequel me plongeait la drogue. Maintenant, mes relations humaines sont authentiques. Je suis capable de me laisser émouvoir par les autres et je suis en mesure de communiquer avec eux. C'est un processus.

L'une des choses qui s'est considérablement améliorée depuis que je suis en recouvrance est la qualité de mon travail qui est maintenant beaucoup plus simple depuis que je ne consomme plus. J'ai en effet commencé à me fier à mon intuition, à ce quelque chose que je sens avec beaucoup de force en moi. Quand je fumais de la mari, j'avais toujours la tête dans les nuages ; mais maintenant, mon esprit est lucide et j'aime prendre des décisions en me servant de mon intuition. À la table de montage, je suis capable de transformer, en un tour de main, un indescriptible fouillis de plans vidéo en un programme cohérent qui respecte le temps imparti à la durée de l'émission qu'il me faut produire.

Un autre aspect de la recouvrance a trait à la spiritualité. Je n'utilise plus mon intuition pour me mettre en valeur, je la mets plutôt au service d'une Puissance supérieure qui emprunte une voix (pas nécessairement la mienne) dont je sens la force silencieuse se manifester avec tant de conviction en mon for intérieur. Au début de ma recouvrance, les solutions se bousculaient dans ma tête et je les ressassais inlassablement : des centaines de mots et de pensées me suggéraient autant de plans d'action virtuels, mais je n'arrivais pas à entreprendre quoi que ce soit. Il m'a fallu quatre années de sobriété pour faire taire certaines voix dans ma tête. Le calme, qui s'est par la suite installé, m'a au début déroutée, mais j'ai compris qu'il était le prélude à la sérénité qui me permet maintenant de prendre les bonnes décisions. C'est beaucoup plus facile pour moi aujourd'hui de faire des choix. Les idées me viennent sans efforts et je ne fais plus d'histoires. Le cadeau le plus extraordinaire de la recouvrance aura certainement été le fait qu'il n'est plus nécessaire que je comprenne tout dans le détail avant d'agir. Les flots de paroles sont souvent superflus. C'est dans le calme que se profilent les solutions. Jamais auparavant, je n'aurais pris quelques instants pour réfléchir avant d'agir. Maintenant, je peux m'asseoir et écouter le silence. Quelle différence ! Je médite souvent sur ce que l'on raconte dans les réunions anonymes à propos de l'humilité. Tout cela contraste tellement avec ce qu'on m'a jadis enseigné : je suis d'ailleurs en train de me défaire de la mentalité qui faisait des membres de notre famille des êtres « spéciaux », de cette manière de penser qui me désolidarisait des autres par la façon dont je prenais ma vie en main. Je ne me sens plus seule en ce monde.

Le mariage est certes le domaine où la recouvrance est le plus rudement mise à l'épreuve. Sans doute est-ce le lieu où les préjugés sont les plus tenaces et où les modèles que l'on nous a transmis s'imposent avec le plus de force. Mais, malgré cela, la recouvrance a fait des merveilles. Ce n'est que vers ma troisième ou quatrième année d'abstinence que des changements significatifs se sont produits dans notre vie de couple. Les enfants accaparent tant d'énergie qu'il est parfois facile de verser dans le rôle des parents « parfaits » et d'ignorer son conjoint. Il y a encore de la place à l'amélioration, mais notre mariage est tellement plus enrichissant qu'avant.

Quand j'étais *gelée,* je n'étais jamais à l'écoute de mes sentiments. La recouvrance est tout entière axée sur l'écoute. Avant, j'avais érigé des frontières artificielles derrières lesquelles je croyais être en sécurité. Au début de ma recouvrance, je n'avais plus ces fausses frontières et je me sentais continuellement insécure. Aujourd'hui, grâce à la recouvrance, je sais que ce sentiment est le signe qu'il me faut régler un problème : mon insécurité ne me quittera pas tant que je n'aurai pas trouvé de solution à ce qui me dérange. Les sentiments qui me causent de l'inconfort ne disparaîtront que lorsque je les aurai affrontés. Le beau côté de la chose est que je suis aujourd'hui capable d'identifier, sans la moindre ambiguïté, les problèmes que j'ai à affronter. Je suis consciente et je peux agir.

Je vis aussi avec le sentiment que quelqu'un veille sur moi. Je pense que c'est une question de confiance acquise avec mes années de recouvrance : confiance en moi, dans les décisions que je prends, dans mon entourage, dans la spiritualité. Je ne doute plus comme avant. Je crois aussi que j'ai ce qu'il faut pour faire face à la vie. Ce sentiment ne s'acquiert que lentement et met beaucoup de temps à s'imposer, mais, toutefois, il semble grandir de façon exponentielle.

Tout ça, et plus encore, je le dois à mes sept ans de sobriété. Je n'aurais certainement rien connu de tout cela si je n'avais pas un jour renoncé à la marijuana.

CHAPITRE NEUF

Philippe

Huit ans d'abstinence

Cadre supérieur

42 ans

Je suis originaire d'une région rurale du sud des États-Unis. Maman avait dix-huit ans et papa dix-neuf quand je suis né. Je suis leur deuxième enfant. Mes parents travaillaient comme des forcenés. Maman était ouvrière dans une usine et papa a déjà cumulé cinq emplois en même temps. Il commençait à travailler à cinq heures du matin et ne s'arrêtait que le lendemain, vingt heures plus tard. Tout ce labeur ne nous a jamais apporté la moindre richesse. En fait, nous appartenions à la classe pauvre des fermiers de la région. Mes parents n'arrivaient pas à économiser. J'avais cinq ans quand, en désespoir de cause, papa s'est enrôlé dans l'armée américaine. Je ne lui en veux pas : il voulait assurer une situation décente à sa famille. Il n'avait pas vraiment le choix.

Quand je repense à mon enfance, la première chose qui me vient à l'esprit est que j'étais presque tout le temps seul. Mes parents employaient une baby-sitter qui nous jetait dehors, mon frère et moi, quinze minutes après que notre mère soit partie travailler, et ce, qu'il fasse soleil ou qu'il pleuve. On ne pouvait rentrer que le soir, juste avant que maman revienne de l'usine. La baby-sitter se foutait pas mal de nous nourrir convenablement. Elle préparait des repas que nous devions manger quand cela faisait son affaire. Ainsi, le dîner de 17 h était invariablement servi à midi et, la plupart du temps, les aliments (des fèves au lard, par exemple) étaient à moitié cuits. Mon frère et moi avons vite appris à nous débrouiller seuls ; nous méprisions l'autorité.

Maman a quelques fois essayé de « s'intéresser » à ses enfants, mais j'ai toujours vu ses tentatives de rapprochements comme d'indésirables intrusions. Pourquoi me serais-je montré ouvert à ses invitations à la confidence et à sa tendresse ? Elle n'était jamais là. Je ne voulais rien savoir de ses manigances. L'éducation chez nous (et dans la famille en général) reposait sur les vieilles méthodes : s'occuper des besoins de la marmaille mais ne pas écouter ce qu'elle raconte. Une bonne raclée corrigeait les enfants qui n'étaient pas d'accord avec cette façon de penser. Chez nous, on attachait aucune importance à l'expression de la chaleur, des émotions, de la compassion. On aurait dit une famille sortie en ligne droite d'un vieux film américain. Comment donc aurais-je pu comprendre correctement les occasionnels élans d'amour de ma mère ?

J'avais pourtant une grande sensibilité, qualité que les membres de la famille considéraient comme une tare chez un garçon. Je n'aimais pas être seul, ce qui était aussi très mal vu dans la famille. Quand je souhaitais que mes amis participent à mes activités, mes parents me reprochaient mon manque d'indépendance.

Le service militaire signifiait que mon père n'avait pas de domicile fixe. On déménageait souvent pour être près de lui. Quand on était à court d'argent, ou quand papa était stationné outre-mer (en Corée ou au Viêt Nam, par exemple), nous rentions « à la maison », c'est-à-dire dans notre patelin du sud des États-Unis. Peu importe l'endroit où nous nous trouvions, mon frère et moi passions invariablement l'été chez nos grands-parents. Une année on allait dans la famille de mon père et l'autre, dans celle de ma mère. Chez mes grands-parents paternels, on vivait assez bien, ce qui n'était pas le cas de mes grands-parents maternels qui étaient de pauvres fermiers. J'ai trouvé très dur le fait qu'on déménage tout le temps.

Mon grand-père paternel avait acheté, à l'époque de la prohibition, la plupart des terres de la région. Un acre de terrain coûtait alors un dollar, soit le même prix qu'une bouteille d'alcool frelaté. Ma grand-mère venait d'une famille fortunée. Mais il y avait tellement de neveux et nièces que nous n'avons jamais vu la couleur de son argent, exception faite, bien sûr, des étés où nous séjournions chez elle. Nous avions alors des serviteurs à qui nous pouvions donner des ordres. Pour eux, nous étions « les enfants du maître ».

J'appréciais le confort et le luxe, mais je dois dire que mes grands-parents paternels étaient des gens froids et distants. Je me souviens notamment d'une certaine journée où grand-père avait une course à faire au village. Mon frère et moi voulions l'accompagner, mais il n'y avait qu'une seule place de libre dans la voiture. Grand-père a dit : « Je suggère que vous alliez régler ça comme des hommes dans la pièce d'à-côté. » J'étais beaucoup plus petit que mon frère, mais je l'ai quand même battu ; cette victoire représentait beaucoup pour moi. Quand je me suis présenté devant mon grand-père, il a ri et m'a pris avec lui. C'est la seule fois où j'ai vu une émotion chez cet homme.

Du côté de ma mère, on était plus chaleureux — ce qui n'a pas empêché l'un de mes oncles de me faire des avances. Je devais avoir cinq ans quand il a entrepris de me séduire, et ce, jusqu'à l'âge de huit ans. Ce n'est qu'à l'âge adulte que je suis parvenu à régler les problèmes que cette aventure m'a causés. Mais, à l'époque, je n'en ai tout de même pas trop souffert : un peu d'attention me semblait préférable à rien du tout. Les samedis, cet oncle parcourait à pied les quatre kilomètres qui nous séparaient du magasin général où il dépensait vingt-cinq cents en friandises de toutes sortes. On riait comme des fous en se partageant les bonbons entre nous. On faisait la fête !

Je me rappelle aussi les jours où il n'y avait pas assez d'argent chez nous pour acheter de quoi manger. On se rabattait alors sur le lait d'une seule vache et sur le pain maison. Les vendredis soir, des oignons et des tomates coupées accompagnaient ce pain de maïs. Pour les enfants que nous étions, c'était un festin de roi.

J'étais très doué sur le plan intellectuel ; ainsi, j'ai toujours excellé à l'école. J'étais fier et bien mis, mais comme on passait notre temps à déménager, j'avais l'impression de n'avoir aucune identité. Quand nous vivions dans le nord des États-Unis, on disait que ma place était dans le sud. Quand on était dans le sud, on me traitait de sale *Yankee*. Je me suis toujours considéré comme un étranger. Je ne me suis jamais senti à l'aise dans un groupe de gens. Je crois que c'est justement pour briser cet isolement que j'ai commencé à consommer de la drogue.

À dix-sept ans, je me rappelle que nous habitions une roulotte de camping. On était retournés vivre dans le sud parce que papa était stationné de l'autre côté du Pacifique, où nous étions censés le rejoindre quelques mois plus tard. Un ami de mon frère est venu habiter avec nous. Un jour, il m'a demandé si je voulais fumer de la marijuana. Je ne connaissais rien à la drogue, mais j'ai dit : « Oui, pourquoi pas ? » Avaler la boucane n'a pas été une mince affaire pour un type qui ne fumait même pas la cigarette. En fait, je ne sais pas si nous avons fumé de la mari ou de l'origan. Qu'à cela ne tienne ! On a fumé ce truc tout l'été, même si je détestais l'arrière-goût que ça me laissait dans la bouche et même si ça ne me faisait aucun effet.

Un jour, l'ami de mon frère m'a offert de l'acide. Je pensais que l'acide était de la marijuana en capsules. J'ai pris la dose en me rendant à l'école. Quand de grandes bandes de couleur se sont mises à parcourir la classe en tous sens, je me suis écrié : « Wow ! Regardez-moi toutes ces couleurs ! » J'ai sauté par la fenêtre de la classe pour ramasser des tiges de chèvrefeuille que je lançais à l'intérieur. Je me revois plus tard, assis sur mon pupitre en train de tresser des couronnes de chèvrefeuille pour mes amis. Curieusement, il semble que personne n'ait remarqué mon attitude bizarre. Aujourd'hui encore, je me demande si c'était parce que j'étais du genre poli et propre ou si c'était parce que tous étaient, ce jour-là, très occupés à préparer un événement important qui devait avoir lieu l'après-midi même, à l'école. Quoi qu'il en soit, je me suis rendu à la fête où j'ai engagé la conversation avec deux filles. Je me rappelle m'être alors dit : « Quelle chose extraordinaire que la drogue ! Elle me rend heureux et elle me met à l'aise avec les filles. C'est sensas ! » J'ai passé une soirée délicieuse ; tous les préjugés que j'entretenais sur les gens et sur le monde se sont, alors, estompés. Les années de consommation qui ont suivi ont complètement remodelé ma façon de penser et d'agir.

Quel merveilleux été ! Je sortais avec les filles que j'avais rencontrées le jour où j'avais consommé pour la première fois de l'acide. Ça a été trois mois formidables où je me suis abandonné librement aux plaisirs d'une sexualité débridée. Tout se vivait au grand jour. J'ai continué à fumer ce que je croyais être de la marijuana, mais je n'ai eu aucun *buzz*. Je ne buvais pas parce que je n'aimais pas l'alcool et je n'ai pas repris d'acide de l'été.

L'été tirait à sa fin quand nous sommes partis rejoindre papa qui était stationné de l'autre côté du Pacifique. Le jour même de notre arrivée, il m'a présenté un type qui, croyait-il, aurait sur moi une influence salutaire. Le gars m'a invité à me joindre à son groupe d'amis et nous nous sommes tous retrouvés dans les bois en train de fumer du haschisch. À quarante cents le gramme, le hasch était donné. Lors de ma première journée d'école, j'ai aussi rencontré un gars qui m'a demandé si je voulais fumer un *joint* avec lui. J'ai répondu : « Bien sûr ! » J'ai, par la suite, appris que ce type était le roi de la gang qui consommait de la drogue à l'école. On est restés amis pendant des années. J'étais membre à part entière de sa gang et cela était, pour moi, une expérience totalement inédite. Je trouvais ça génial !

On prenait de la drogue presque tous les soirs. Quand je repense aux quelques années qui ont suivi notre déménagement outre-mer, je me dis que j'ai bien dû prendre de l'acide quelque chose comme trois cents fois. À un moment donné, j'en ai consommé tous les jours durant six mois. Un soir, je me souviens avoir tourné en rond autour de l'immeuble où nous logions en cherchant désespérément à me rappeler si j'avais pris un *cap d'acide* un peu plus tôt, dans la journée. C'est à ce moment que j'ai décidé de ralentir un peu sur la drogue chimique. Pas sur le hasch cependant ; c'était très facile de s'en procurer, contrairement à la marijuana qui, du reste, coûtait plus cher. La pharmacie du coin vendait aussi du *speed* ; on en prenait de temps en temps, mais pas souvent, parce que l'un de nos amis a, un jour, passé un très mauvais quart d'heure après en avoir consommé.

Je me suis trouvé du travail sitôt après avoir fini mes études collégiales. Vers la fin de la même année, je me suis enrôlé dans l'armée. À l'époque, un soldat pouvait demander et obtenir d'être stationné dans un endroit de son choix. Je savais que je ne voulais pas aller au Viêt Nam ; j'avais vu pas mal de gars à l'air bizarre en revenir et ça m'avait convaincu. Comme mon nom figurait parmi les derniers sur les listes de recrutement, j'ai pensé qu'il valait mieux que je me porte le plus tôt possible volontaire ; ça m'a effectivement donné l'avantage du choix d'un lieu de séjour — un répit pour le Viêt Nam, quoi. J'ai demandé à être stationné près du 49e parallèle. Ainsi pour éviter le Viêt Nam, je n'aurais pas hésité à fuir au Canada.

Le jour, je présentais l'image d'un soldat irréprochable : j'étais tiré à quatre épingles et on aurait pu se mirer dans le lustre de mes bottes. Mais le soir, j'allumais un *joint* en rentrant chez moi et je passais le reste de la soirée à me *geler*. J'avais dix-neuf ans.

Je me suis marié à une fille avec qui, pourtant, je me querellais tout le temps. Elle était belle comme une déesse.

J'étais militaire de carrière. J'avais les cheveux coupés ras et ça me donnait l'air d'un idiot. J'ai pensé : « Est-ce que je marie cette poupée ou est-ce que je reste célibataire pour encore deux ou trois ans ? » Je me rappelle m'être demandé, au beau milieu de la cérémonie du mariage, combien de temps tout ça allait durer. Elle ne consommait pas de drogue. Je fumais beaucoup de mari. En réalité, notre mariage n'a pas fait long feu.

Là d'où je viens, quand un homme a donné sa parole, c'est sacré. Je venais de m'engager « jusqu'à ce que la mort nous sépare ». Sitôt que je n'ai plus été capable de la supporter, j'ai pensé que la mort était la seule solution pour en finir. L'idée du suicide m'a effleuré l'esprit.

Je suis allé consulter un conseiller matrimonial. C'était en 1975. Le type passait son temps à ramener la conversation sur la marijuana. Je voulais parler de tout, sauf de ça. Il m'obligeait à fréquenter les réunions d'un groupe d'alcooliques. Je trouvais que je perdais royalement mon temps. Deux mois plus tard, j'ai tout laissé tomber. Cet échec m'a, par la suite, très mal disposé à l'égard de toute forme de thérapie.

Quand j'ai terminé mon service militaire, je me suis trouvé du travail dans une grande corporation. J'ai divorcé peu après. Je travaillais de longues heures, je grimpai graduellement les échelons de la hiérarchie corporative. Ma vie était simple : je passais de huit à douze heures au bureau, je rentrais chez moi fumer un *joint* et je croulais tout de suite après sous la fatigue. Les fins de semaine, je pleurais sur mon sort : je n'avais pas de vie à moi en dehors du travail et je ne savais pas comment sortir de cette impasse. J'avais atteint un niveau professionnel où il me semblait qu'aucun de mes pairs n'avait du goût pour la drogue. Je me sentais coincé au beau milieu de nulle part. Les gens *straight* m'ennuyaient.

Pour mes collègues d'alors, *se geler* ne faisait pas *cool* ; j'ai donc commencé à prendre un verre avec eux au bar situé au rez-de-chaussée du building où on travaillait. Je supportais mal l'alcool. En réalité, je n'ai jamais pu le supporter. Trois ou quatre verres et j'étais complètement soûl. Une semaine typique au bureau se déroulait ainsi : je travaillais comme un débile, je distribuais à gauche et à droite promotions et rétrogradations, je mettais certains employés à la porte ou je leur signifiais leur transfert dans une autre ville. Je finissais mes journées en buvant en compagnie de collègues qui me ramenaient à la maison. Les fins de semaine, les crises de larmes reprenaient.

Ma vie amoureuse était une catastrophe. Les femmes me riaient au nez, certaines m'étaient infidèles. Ça n'avait aucun sens ! Je ne me gênais pas pour les abuser émotionnellement et elles me le rendaient bien. J'ai fini par admettre que d'entretenir des relations intimes avec les personnes avec qui on travaille n'était pas ce qu'il y a de plus brillant comme idée. J'ai démissionné de mon poste.

Dans mes nouvelles fonctions, j'étais entouré de gens très différents de ceux que je venais de quitter. Je peux dire que ce sont eux qui m'ont montré que c'était possible d'avoir des amis dans la vie. On commençait à prendre un verre à l'heure du lunch (11 h) que l'on étirait parfois jusqu'à 17 h, même si je n'aimais toujours pas boire. L'alcool était peu onéreux et, à l'époque, toléré avec indulgence. Certains jours, l'alcool ne me faisait aucun effet ; mais la plupart du temps, j'étais complètement abruti après quelques verres. Je n'avais du bon temps avec l'alcool qu'environ une fois par mois. La marijuana, par contre, était une partie importante de ma vie. Je voulais montrer que j'avais de la classe et je transportais mes *joints* dans un étui à cigarettes plaqué or que j'ouvrais aussitôt que je montais dans ma voiture, en fin de journée.

Certains soirs, en compagnie de mes nouveaux amis, on consommait des champignons magiques ; il nous est même arrivé de *sniffer* de la cocaïne. J'ai quitté ma très ordinaire garçonnière pour emménager dans un vaste appartement doté de quatre chambres à coucher. Un mois plus tard, en faisant mes comptes, je me suis aperçu que j'avais flambé 1 500 $ en cocaïne. Ce chiffre m'a secoué. J'ai beaucoup modéré ! J'ai stabilisé ma consommation autour de deux à trois cents dollars par mois. J'aimais bien la *coke,* mais elle ne m'était pas nécessaire pour fonctionner quotidiennement.

Ma vie tournait en rond. Je travaillais comme un fou, je me soûlais la gueule, je fumais de la mari en sortant du bureau et je ne *dégelais* pas de la soirée. Les week-ends, je me repliais sur moi-même. Je m'arrangeais pour quitter la ville et c'est en solitaire que je tuais misérablement le temps en consommant des quantités industrielles de café, de marijuana et de cigarettes. Le lundi, je reprenais le travail et la réalité me frappait de plein fouet. C'était pas drôle. Dire que ça a duré presque deux ans.

Ma santé s'altérait. Je rentrais du bureau et, sitôt que j'avais fumé mon *joint,* je m'effondrais sur le lit. J'en suis venu à ne fumer qu'avant de m'endormir. Quand je pensais à quelque chose de stressant, mes muscles se raidissaient au point que j'étais pris de tremblements. Ce problème m'afflige encore aujourd'hui. Je travaille parfois de longues heures et je dois souvent rencontrer des tas de gens ; certains soirs, quand j'essaie de me relaxer, il me vient de petits spasmes musculaires. J'ai d'abord pensé que la *coke* était en cause, mais j'ai préféré penser qu'il s'agissait d'un trop plein de frustrations. Aujourd'hui, je sais que ce problème (qui m'affligera probablement jusqu'à la fin de mes jours) est l'une des conséquences de mes longues années de consommation de marijuana.

À cette époque, les gens me tapaient sur les nerfs. Quand j'étais tendu, je devenais agressif au point de m'en prendre à mon entourage et tout ce qui me tombait sous la main. Sur la route, quand un véhicule me forçait à ralentir, je signifiais mon mécontentement au conducteur en donnant des petits coups dans le pare-chocs arrière de sa voiture. J'ai fait ça des douzaines de fois en rentrant du bureau. Je me foutais que la voiture avant fût pleine de monde. Ma vie me faisait horreur. Je haïssais mon travail : trop de stress, trop de politique. Je fréquentais surtout des types bizarres et drogués. Je ne savais plus comment m'en sortir.

Un collègue de travail était alcoolique. Il se réveillait souvent le matin, couvert de bleus et de bosses, incapable de dire avec qui il s'était battu la veille. Je l'ai persuadé de consulter un professionnel. Je lui ai dit que s'il faisait quelque chose pour arrêter de boire, je ferais aussi quelque chose pour mettre de l'ordre dans ma vie — je pensais, bien sûr, à faire des efforts pour être moins agressif. Car j'étais convaincu que, dans mon cas, ce n'était qu'une question de stress. « Si j'arrivais à m'en défaire pour de bon, ce serait certainement le paradis », me disais-je. C'est d'ailleurs la raison pour laquelle je fumais de la mari : je ne connaissais aucun autre moyen de me détendre.

Mon collègue alcoolique a entrepris une thérapie fermée de trente jours dans un centre spécialisé et je suis allé le visiter. Le jour où il est sorti, je lui ai dit que j'irais moi aussi voir un professionnel, et ce, simplement pour qu'il pense que je ne le laisserais pas tomber. Cette promesse a été le coup de pouce dont j'avais besoin pour aller chercher de l'aide — je n'aurais jamais fait ça de ma propre initiative. Il y avait, au bureau, un programme d'aide aux employés. J'y suis allé. J'ai commencé par dire à la préposée : « Écoutez, j'ai besoin de quelqu'un qui m'aide à gérer mon stress. » On a bavardé un peu ; j'ai dit qu'il m'arrivait de perdre conscience, le soir. Elle m'a suggéré de rencontrer une spécialiste [nul autre que l'auteure du présent ouvrage]. J'ai découvert par la suite que la spécialiste en question intervenait en toxicomanie.

Je me rappelle très bien ce qu'elle a dit lors de notre première rencontre. Elle décrivait une certaine manière d'être face à la drogue. Elle racontait, par exemple, qu'on la consommait souvent pour le plaisir ou pour lutter contre le stress. Je n'avais pas de difficulté à m'identifier à ce qu'elle disait ; en fait, je trouvais cette femme plutôt *cool*. Ce n'est que lors de notre deuxième rencontre que je me suis rendu compte qu'elle parlait en fait du phénomène de la dépendance. Quand j'ai compris où elle voulait en venir, j'ai été amèrement désappointé. Nous avons chaudement argumenté de part et d'autre. Je lui répétais : « Mais je n'ai pas de problème avec la dépendance. Pensez juste à toutes les drogues auxquelles j'ai volontairement renoncé dans ma vie ! »

Mon comportement face à la drogue ? Je me suis tour à tour arrêté à une substance qui me plaisait. Je m'y adonnais un certain temps tout en augmentant les doses jusqu'à en consommer avec excès. Un beau jour, je trouvais que cette substance ne *gelait* plus assez et je me tournais vers autre chose. Je fis aussi part à la thérapeute de mes fréquents problèmes d'insomnie. J'avais pris l'habitude, lui racontais-je, de consommer le soir, avant de me coucher, simplement pour me relaxer et trouver le sommeil — parce que je ne pouvais pas supporter l'idée d'être encore éveillé quand les oiseaux se mettraient à chanter. La mari était, pour moi, une plante médicinale, pas une mauvaise herbe, pas un problème.

Un jour, ma thérapeute m'a fait lire *Under The Influence,* un ouvrage que j'ai aussitôt dénigré en argumentant qu'il n'y avait rien là-dedans pour moi. Je ne pouvais pas être alcoolique : je détestais l'ivresse éthylique. Je buvais comme tout le monde, c'est-à-dire socialement ; l'alcoolisme, c'était quand même autre chose, non ? En tout cas, rien au monde ne m'aurait fait dire que j'étais alcoolique. Je me rappelle que nous avons eu des discussions épiques à ce sujet. Dans ma tête, il était impossible que la marijuana engendre la dépendance. Quand une drogue ne me plaisait plus, je cessais simplement d'en consommer. Nul doute que je ferais la même chose avec la mari si je le voulais. Je n'étais pas plus dépendant de la drogue que je ne l'étais de l'alcool.

Un mois après le début de ma thérapie, j'ai dû m'absenter quelques jours pour un voyage d'affaires. Je me rappelle avoir dit à ma thérapeute que je n'essaierais même pas, ne serait-ce que pour boire socialement, de rester abstinent au cours de ce voyage. Le week-end suivant, j'apprenais que quelqu'un avait reçu tout le crédit pour un projet auquel j'avais contribué de manière plus que significative. Ça m'a mis en rogne et j'ai eu une sérieuse conversation avec une femme (nous nous sommes mariés peu après) qui travaillait avec moi sur ce dossier. Je me revois en train de lui expliquer que je ne savais pas si j'étais furieux parce qu'on avait ignoré mon mérite ou parce que j'avais, ce soir-là, trop bu. Ne pas être en mesure de déterminer la raison précise pour laquelle j'étais en colère m'a passablement perturbé. Quand je suis rentré au bercail, j'ai pris la décision de me rendre aux arguments de la thérapeute. Neuf ans et demi se sont depuis écoulés.

Pourtant, il m'a bien fallu quelque six à neuf mois d'abstinence avant d'admettre que la drogue pouvait aussi être, dans mon cas, un problème. Elle faisait partie de mon existence depuis si longtemps que je n'arrivais plus à me représenter la vie sans elle. J'avais commencé à consommer à dix-sept ans et j'avais tout de même trente-deux ans au moment où j'ai entrepris cette thérapie. Avec la recouvrance, et grâce aux témoignages de ceux et celles qui expliquaient comment la drogue avait dominé leur vie, j'en suis venu à voir les choses différemment. Certains détails de ma vie me sont revenus, par exemple, à quel point j'étais frustré quand je me présentais chez mon habituel revendeur de mari et qu'il n'était pas chez lui : je ne décolérais pas de la soirée.

La thérapeute m'a un jour fait lire un texte qui a beaucoup contribué à me faire admettre que j'avais un problème avec la mari. Je me rappelle particulièrement une phrase qui parlait de l'incapacité d'une personne à reconnaître les signes lui indiquant régulièrement qu'elle devrait arrêter de consommer. C'était exactement ce qui m'arrivait.

Je crois que la thérapie a véritablement commencé, pour moi, le jour où je me suis rendu aux arguments de la thérapeute et que j'ai reconnu que j'étais dépendant. C'est à partir de ce moment que je suis parvenu à rester abstinent et que mon attitude face aux réunions anonymes (que je fréquentais) a commencé à changer. La thérapeute m'a fait voir que j'avais d'autres problèmes à régler en plus de la drogue. J'ai compris que la recouvrance et les réunions anonymes étaient quelque chose de sérieux. Je me disais, au début : « C'est probablement mieux de vivre abstinent que de vivre en consommant. » Et la thérapeute de m'assurer que oui. Si nous ne parlions guère de la drogue comme telle, je n'étais pas sans m'apercevoir que ma vie ressemblait étrangement à ceux et celles qui se disaient alcooliques ou dépendants. Quelques mois de ce régime et j'ai fini par ne plus me sentir mal à l'aise en m'identifiant comme un dépendant.

J'ai fréquenté plusieurs mouvements. Dans Narcotiques Anonymes (NA), les gens parlaient de manière saisissante des symptômes physiologiques (tremblements et sueurs froides, par exemple) qui affectent une personne en manque. Je n'ai personnellement jamais connu ce genre de symptômes. Dans Alcooliques Anonymes (AA), les gens discutaient de toutes sortes de comportements reliés à l'alcoolisme ; là aussi, j'avais de la difficulté à m'identifier à ce qu'ils disaient. Quand j'assistais aux réunions de Cocaïnomanes Anonymes (CA) par contre, j'entendais les membres raconter comment ils en étaient venus à se considérer comme des junkies ou des déchets de la société, comment ils étaient prêts à n'importe quoi pour se procurer leur drogue. L'essentiel n'était-il pas de se *geler* ? Je comprenais parfaitement ce qu'ils essayaient de dire.

Au début de ma recouvrance, je me demandais :
« Mais comment faire pour vivre sans consommer ? La
vie, ce n'est que des conneries. Sans drogues, comment
diable affronter mes problèmes personnels ? Si ma thérapeute arrivait à m'aider à trouver des solutions à mes
problèmes personnels, je parviendrais sûrement à vivre
sans consommer. » Même si je pensais ainsi, je ne consommais pas parce que ma thérapeute exigeait que je
sois abstinent tout le temps que durerait la thérapie. Un
jour cependant, j'ai senti que j'acceptais pleinement désormais de vivre sans drogues. Mais ça n'a pas été du
tout facile à admettre.

La recouvrance m'a permis de voir le monde différemment. Je prenais conscience de la piètre qualité des
relations humaines que j'avais toujours entretenues. Je
me suis aussi défait du préjugé qui faisait des membres
des mouvements anonymes des religieux fanatiques. Ils
ne se *gelaient* plus et ils semblaient avoir des vies amu-
santes. Pour moi, c'était un concept tout nouveau. Au
début, vivre une journée abstinent me soulageait d'un
poids. Je ne savais pas trop où je m'en allais, mais j'espérais que ma vie serait meilleure — et cet espoir m'encou-
rageait à essayer de passer à travers une autre journée.

Je conserve peu de souvenirs de mes débuts dans la
recouvrance. Je me rappelle notamment, au cours du
premier été, avoir été élu animateur d'une réunion ; je
me souviens aussi de la toute première fois que j'ai raconté publiquement mon histoire. Mais l'idée d'être différent des autres m'est toujours restée. Je n'ai jamais eu
de parrain, parce que je n'en voyais pas l'utilité pour moi.

Au début, il m'est souvent arrivé de partir à la pause-
café. Je ne pouvais pas supporter tous ces gens qui socia-

lisaient. Je me suis cependant peu à peu amadoué et j'ai commencé à socialiser avec les membres en recouvrance. J'allais parfois prendre un café après la réunion avec quelques membres du groupe. Moi, je m'intéressais surtout aux femmes et s'il m'arrivait, par hasard, de nouer une conversation avec l'une d'entre elles, je n'avais, au cours de la réunion suivante, qu'une seule idée en tête : que pouvait-elle bien penser de moi ? Je n'aimais pas être victime de ces obsessions. J'ai donc suivi le conseil que certains membres m'ont suggéré à ce propos : éviter de s'engager dans une relation intime au cours de la première année d'abstinence. J'ai donc décidé qu'il était plus sage de m'inscrire dans l'une des équipes de la ligue de quilles qu'avaient mise sur pied quelques membres CA.

Le jour de mes trente-trois ans, je cumulais soixante-six jours d'abstinence. Sur les conseils de ma thérapeute, j'ai rompu avec tous mes anciens amis. Je fréquentais les réunions CA six jours sur sept et il m'arrivait occasionnellement d'assister à des réunions AA. Dans Marijuana Anonymes (MA), je me suis reconnu dans ces gens : l'état léthargique, nonchalant, voire indolent qu'occasionne l'ivresse de la mari, mais je n'ai pas pu supporter tout cela autour de moi. On aurait dit qu'ils sortaient tout droit d'un commercial télévisé. La plupart vivaient à la maison et passaient leur temps à répéter : « Merde, y'a jamais rien qui change dans la vie. » À l'époque, j'étais vice-président d'une importante corporation ; je supportais très mal cet étalage d'apathie. Je regrette qu'il en ait été ainsi, car je pense que nos histoires avaient beaucoup en commun.

S'il est vrai que j'avais résolu de ne pas entreprendre de relation amoureuse au cours de la première année d'abstinence, j'ai quand même commencé, vers mon sixième mois, à sortir avec une femme du bureau. Nous avions plusieurs dossiers en commun et nous voyagions souvent ensemble pour rencontrer les clients. Ça s'est terminé par un mariage et notre fils a aujourd'hui trois ans. Mais retournons où nous en étions...

À neuf mois de sobriété, je me suis débarrassé de mon attirail de consommation et de mon ultime réserve de marijuana. Il m'en aura fallu du temps pour accepter l'abstinence comme un mode de vie permanent ! C'est à cette période de mon cheminement en recouvrance que j'ai réussi à dire : « Je suis dépendant, ça ne fait pas de doute. Il ne me reste plus qu'à travailler là-dessus. »

J'ai continué ma thérapie. En fait, je suis toujours en thérapie. Quand ma famille et moi avons déménagé dans une autre région, j'ai été obligé de changer d'intervenante. Je m'étais pas mal impliqué dans les CA, mais la politicaillerie des assemblées me tapait sur les nerfs. Aujourd'hui, je travaille très fort en thérapie pour me défaire de ma peur de socialiser et de nouer de nouvelles amitiés.

Ces temps-ci, je laisse mon travail m'accaparer plus que de raison. Je rentre à la maison complètement vidé : il ne me reste aucune énergie pour consacrer un peu de temps à ma femme et à mon fils. En ce moment même, je suis fourbu et ça m'empêche de goûter pleinement aux joies de la sobriété. Ça n'a pas toujours été comme ça, mais ce soir, je ne peux pas dire que j'apprécie particulièrement la plénitude de la sobriété.

Qu'y a-t-il de différent dans ma vie depuis que j'ai arrêté de consommer ? En fait, tellement de choses ont changé que je peux à peine comparer avant et après. Je me rappelle notamment la première fois que j'ai croisé un véhicule de police. Je respirais d'aise et je me suis même dit : « Pourquoi donc m'inquiéter ? » Je me souviens aussi du jour où mon compte en banque a dépassé le cap d'un certain nombre de zéros. Quand je consommais, je gagnais beaucoup d'argent, mais je vivais à un train d'enfer. Je prenais par exemple l'avion pour aller dîner dans une autre ville sous l'impulsion du moment. Je me livrais à toutes sortes de folies du genre, je ne me refusais jamais rien. Et voici qu'aujourd'hui, ma femme et moi avons, en moins de deux ans d'abstinence, économisé assez d'argent pour acheter une maison. Quand on a commencé à sortir ensemble, ni elle ni moi n'avions du capital. Aujourd'hui, on a assez d'économies pour couvrir les études universitaires de notre fils, Ian.

Je ne me sens pas très à l'aise avec des gens qui lèvent un peu trop les coudes — et je ne peux pas dire que je me sente beaucoup mieux en compagnie de ceux et celles qui boivent normalement. J'ai toujours peur qu'ils finissent par se soûler. En fait, j'ai tendance à m'esquiver quand un cocktail se profile à l'horizon.

Il a fallu que je me fasse violence pour vivre avec l'idée d'une Puissance supérieure. J'ai été élevé par une mère fanatique de la religion et par un père indifférent à tout cela mais plutôt puritain. Cette éducation n'a certes pas favorisé ma sympathie à l'égard de la chose spirituelle. Néanmoins, malgré mes réserves, il m'est arrivé d'utiliser l'aide de ma Puissance supérieure.

Maîtriser les Douze Étapes est certainement le travail le plus ardu en recouvrance. Quant à ma Puissance supérieure, je l'ai identifiée à cette partie de mon âme à laquelle je ne peux m'adresser directement. Certains jours, je me contente de laisser les choses courir, juste pour voir ce qui va se produire. C'est le moyen par lequel je m'efforce de confier ce qui me dérange à cette partie de moi que j'imagine être ma Puissance supérieure. C'est là que j'en suis rendu avec l'acceptation de cette idée d'une Puissance supérieure. Il faut dire que, ces dernières semaines, je me sens moins porté qu'avant sur la spiritualité.

À l'époque où je consommais, la vie que je menais me blasait. Je ne savais tout simplement pas quoi faire pour que ça change. Aujourd'hui, tout est tellement différent ! Mais j'avoue que j'aimerais bien sentir la joie qui m'habitait au commencement de ma recouvrance. Ces derniers six mois, mon travail a été particulièrement stressant et exigeant ; en fait, c'est sans doute moi qui l'a laissé m'envahir. À l'époque où je fréquentais les réunions anonymes, il me semble que j'étais un peu plus équilibré. C'est une fâcheuse tendance que j'ai de laisser le travail prendre le dessus. J'aimerais bien que ça change.

En ce moment, je suis comme au neutre : je n'ai pas de hauts ni de bas. Il faut que quelque chose change parce que je n'apprécie plus la vie autant que certaines autres années de ma recouvrance. Je n'assiste présentement à aucune réunion. J'ai bien essayé, au début, quand nous sommes arrivés dans ce coin de pays, mais je n'ai pas réussi à trouver un seul groupe où je me sentais à l'aise. J'ai déjà pas mal de temps d'abstinence et il m'est plus difficile de me laisser émouvoir par les témoignages des nouveaux venus. Peut-être devrais-je recommencer à fréquenter assidûment les réunions ? Ma femme m'encourage fortement à le faire parce que, dit-elle, je rentre toujours plus détendu d'une réunion, et ce, même si je n'y ai rien trouvé de satisfaisant. Qui sait ? Je crois que j'aurais besoin de m'y remettre.

Quoi qu'il en soit, beaucoup de choses se sont améliorées dans ma vie. Ma relation avec mon fils en est un exemple. Avec lui, ça ne sert à rien de s'excuser et il ne tient jamais compte que j'aie eu une bonne ou une mauvaise journée au bureau. Ian m'a montré à composer avec les sentiments des gens avec qui je suis en interaction. J'ai tendance à penser que tous doivent s'adapter à ce que je suis. Ian, bien sûr, ne marche pas dans ce jeu.

La présence de Ian fait ressortir ma sensibilité de façon positive. Mon instinct me dit quand nous sommes sur la même longueur d'onde. Par exemple, j'ai cinq minutes pour faire une course et j'emmène Ian. Chemin faisant, il me dit qu'il a faim. Je sais tout de suite que cette course durera vingt minutes. J'accède généralement aux demandes de Ian parce que je ne veux pas frustrer ses besoins ; je veux qu'il se sente accepté, je veux qu'il ait toutes les chances de s'épanouir. J'aime m'occuper ainsi de lui et je ne le fais pas parce qu'il l'exige, mais parce que j'en ai tout simplement envie. Avant, quand j'accédais aux demandes des autres, c'était parce que je voulais influencer l'opinion qu'ils se faisaient de ma personne. Il y avait toujours, de ma part, une intention cachée. Je veux éviter que Ian vive le rejet ; j'en ai personnellement trop souffert dans ma vie.

Ian m'a montré que les adultes sont aussi comme les enfants. Quand il pique une colère, par exemple, je n'imagine pas automatiquement en être la cause, quoique avec un enfant de son âge, on ne peut être sûr de rien. Néanmoins, si je ne fais pas partie du problème, je fais partie de la solution et je peux l'aider. Mais si je fais partie du problème, m'emporter ne réglera rien. Avant la recouvrance, quand une personne se fâchait, j'assumais toujours être la cause de son courroux : mes insécurités refaisaient surface, la colère me prenait et je me tenais sur la défensive.

Regarder mon fils grandir et persévérer dans la sobriété m'ont rendu beaucoup plus tolérant envers les adultes. Avant, je considérais que seul mon point de vue pouvait être valable ; aujourd'hui, je considère celui des autres. Je ne cherche plus à imposer froidement ma façon de penser. J'ai découvert que je suis également doué pour aider deux personnes, qui ne sont pas en bonne communication, à se comprendre. À l'époque où je consommais, je changeais très vite de personnalité : j'étais souriant et accommodant en prenant un verre avec les copains et, l'instant d'après, je cédais à un mouvement de colère en renvoyant un employé sans motif valable. Jamais, je tenais compte de ce que l'autre pouvait ressentir ou penser.

J'ai entendu parler de gens qui, en recouvrance, apprennent à devenir des parents pour l'enfant que chacun porte en dedans de soi, leur enfant intérieur. Quand Ian accueille mes élans de tendresse, ça me montre que je dois aussi personnellement m'accueillir. C'est comme si je me permettais d'être moi-même à chaque fois que je fais quelque chose pour qu'il devienne davantage lui-même. Ça m'a aussi montré la nécessité de prendre du temps pour moi, de me livrer à une certaine forme d'introspection. Avant, j'aurais simplement dit : « Merde, encore un autre problème à régler ! » C'est merveilleux ! Je suis si heureux de constater que Ian et moi avons tant de choses en commun. Je n'ai qu'à l'accueillir et à faire en sorte que tout aille bien pour lui. Je dois cette façon de voir au fait que j'ai appris, avec le temps, à tenir compte des besoins de mon fils qui m'a montré, en retour, que j'avais besoin d'être accepté.

J'ai appris à accepter que j'ai besoin de limites. Quand j'ai besoin de quelque chose, je n'hésite plus à le demander. Ma femme, par exemple, sait que les vendredis soir sont réservés à la famille ; c'est le moment où on oublie les tensions de la semaine en regardant un film en vidéo à la maison. Au bureau, mon patron et mes collègues savent que je ne me joindrai pas à eux pour le lunch les jours où nous passons de longues heures en réunion avec les clients. Je me fais un point d'honneur de leur indiquer deux ou trois bons restaurants avant de me retirer dans ma chambre d'hôtel parce que j'ai besoin de refaire le plein d'énergie. Dire qu'avant, quand j'avais le moindrement un comportement anti-social, je sentais inévitablement de la colère monter en moi.

Je me considère chanceux : la dépendance m'a mené à la thérapie qui m'a fait découvrir la recouvrance. N'eût été de la dépendance, je serais devenu comme tous les autres membres de ma famille un « boulotmane » froid et sans cœur. Un jour, j'aurais fini par dire à mon fils quelque chose comme : « Viens-tu camper avec moi ? Au fait, comment tu t'appelles ? » J'ai tellement de gratitude à l'idée que je joue un rôle actif dans l'éducation de mon fils. C'est si bon d'apprécier et de chérir ces moments. Sans la recouvrance, je n'aurais jamais été en mesure de laisser le monde venir à moi ; en fait, je serais probablement resté toute ma vie engourdi et en colère.

Je suis toujours étonné de constater l'aisance avec laquelle je peux maintenant décoder mes états d'âme. Dire qu'il n'y a pas si longtemps, j'étais plutôt mal outillé pour comprendre ce qui se passait en moi. Je sais bien que la période que je traverse actuellement n'est sans doute pas la meilleure qu'il m'ait été donné de vivre, mais pour rien au monde je ne voudrais rentrer de nouveau dans la peau du dépendant colérique et froid que j'ai un jour été, celui qui essayait tant bien que mal de s'amuser, celui qui n'arrivait jamais à sentir autre chose que de la colère, du mépris et du rejet. Je pense que je vais recommencer à assister aux réunions anonymes ; elles m'ont jadis apporté beaucoup d'aide. Qui sait ? Peut-être que je retrouverai l'esprit bon enfant, insouciant et heureux, que j'ai connu au début de ma recouvrance. En tout cas, j'ai toutes les raisons du monde pour essayer. Cet effort en vaut la peine.

CHAPITRE DIX

Magali

Douze ans d'abstinence

Propriétaire d'une petite entreprise

43 ans

J'ai grandi dans la banlieue d'une grande ville des États-Unis. Tout le monde dans le quartier vivait sur un terrain qui faisait douze mètres sur trente. Bien que ce fût un endroit sécuritaire, il nous était interdit de sortir quand il faisait nuit et l'hiver, on devait rentrer au plus tard à 16 h 30. Mes parents nous servaient régulièrement des mises en garde contre les « dangers » des grandes villes. Je viens d'une famille traditionnelle : papa travaillait, maman restait à la maison. Nous étions trois enfants ; on s'entendait assez bien, même s'il nous arrivait parfois de nous chamailler. S'il est une réalité dont je suis certaine à propos de mon enfance, c'est l'amour que mes parents nous témoignaient. Certains jours, ils nous démontraient leur tendresse d'une manière plutôt rude, mais nous n'avons jamais douté de leur amour. Je conserve de doux souvenirs de cette époque de mon existence.

La vie, chez nous, avait ses hauts et ses bas, plus particulièrement sur le plan émotionnel. C'est sans doute ce qui explique la peur de l'inconnu qui m'habite encore aujourd'hui. Il faut dire que les nouvelles télévisées qui, à l'heure des repas, faisaient abondamment étalage de la criminalité de la métropole voisine (vols par effraction, meurtres, viols, suicides), n'avaient rien de bien rassurant pour la petite fille que j'étais. Mes frères n'étaient pas aussi craintifs que moi. Mais je ne faisais pas qu'avoir peur dans la vie, j'étais aussi capable de m'amuser. En fait, j'étais plutôt extravertie et je posais tout le temps plein de questions.

Beaucoup d'anecdotes de mon enfance sont encore très présentes dans ma mémoire. Toutes tournent autour de la vie familiale et des jeux que je pratiquais, autour de chez nous, avec mes frères, mes cousins ou encore avec des amies. Les portes de notre maison étaient ouvertes à tout le monde ; les gens allaient et venaient constamment. Le frigo était toujours plein et maman adorait cuisiner. Quand nous recevions, maman jouait l'hôtesse et papa, le barman. Il n'était pas très doué pour ce genre de chose. Maman devait sans cesse lui rappeler de ne pas oublier d'offrir un deuxième verre aux invités. « Comment ça, un deuxième verre ? » disait papa. Et maman, de lui répondre : « Parce que certaines personnes aiment ça. » Il offrait donc de bonne grâce un second verre et il trouvait souvent quelques preneurs. Avant le repas du soir, mes parents se partageaient généralement le contenu d'une bouteille de bière. C'est à peu près tout l'alcool qu'ils consommaient.

Avant que je ne rentre à l'école secondaire, on m'a mise en garde contre la marijuana à peu près en ces termes : « Si quelqu'un t'offre de drôles de cigarettes roulées à la main, n'y touche surtout pas ! Il se pourrait qu'elles contiennent de la drogue et la drogue rend fou ! » Ces paroles m'ont flanqué la trouille et je n'ai pas eu de difficulté à suivre ce conseil. Pour un temps du moins. Mais au 2ᵉ cycle du secondaire, j'ai eu l'occasion d'entendre, à diverses reprises, les témoignages d'étudiants et d'étudiantes qui connaissaient la mari pour en avoir fumé. Ces gens ne me semblaient pas du tout avoir perdu la raison. En fait, à comparer aux autres drogues qui circulaient à l'école (acide, mescaline, *speed,* tranquillisants, stimulants), la mari paraissait quelque chose de bénin.

Je ne sais pas trop comment la petite fille sage, raisonnable et indépendante que j'étais s'est transformée en une adolescente obsédée par l'idée de faire comme tout le monde. Une chose était sûre, je ne voulais à aucun prix que la mari me cause le moindre ennui. Tous répétaient que d'en consommer ne prêtait à aucune conséquence, on racontait même que ce n'était pas une drogue à proprement parler. On en parlait comme un produit naturel, une plante apparentée aux épices ou aux herbes. J'en suis venue à croire que de toutes les drogues, la mari était probablement la seule que je pouvais consommer en toute sécurité. J'avais quinze ans quand je me suis mise dans la tête de m'en procurer. Je tenais à mettre toutes les chances de mon côté : il fallait, dans un premier temps, que je trouve la personne avec qui je serais à l'aise pour consommer ; dans un second temps, je devais décider d'un lieu sûr. Je ne voulais surtout pas que mes parents découvrent le pot aux roses. J'avais un peu peur, bien sûr, mais j'étais surtout intriguée.

Je devrais, en fait, vous parler un peu plus de la fille que j'étais avant de commencer à consommer. Dans le temps, j'étais capable de penser et de juger sainement. La plupart des adultes de mon entourage disaient que je faisais preuve de maturité pour mon âge. Contrairement à ce qui allait se produire après le début de ma consommation de pot, papa n'avait jamais exigé de moi que je fasse preuve de modération ou que je consente à des compromis. J'avais la tête solidement plantée sur les épaules. Je ne manquais pas d'esprit critique et je pouvais raisonner. J'étais consciente que toute médaille a son revers.

J'ai perdu toutes ces compétences quand la mari est entrée dans ma vie, mais ce n'est qu'après avoir arrêté d'en consommer que j'ai réellement pris conscience de ce fait. Du temps que je fumais de la mari, je soutenais mordicus que cette drogue faisait de moi une bien meilleure personne, ma pensée s'ouvrait sur le monde, mon jugement gagnait en sûreté. Je ne voulais plus être celle que j'avais été au cours des quinze premières années et demie de mon existence.

J'ai finalement trouvé un gars avec qui je me sentais assez en confiance pour ma première expérience. J'avais un peu peur, mais la curiosité fut plus forte. Au quatrième *joint,* je n'avais toujours rien senti. Mais au cinquième, le *buzz* m'a comme happée. Et je me suis mise à parler, parler, parler ; j'ignorais que je pouvais avoir autant de choses à dire. J'ai aussi fait l'amour derrière le garage. Les relations sexuelles n'étaient certainement pas dans mes habitudes, à l'époque. Avant la mari, quand je sortais avec un gars, je passais plus de la moitié de la soirée à chercher le moyen de me débarrasser de lui, sans avoir à l'embrasser au moment où l'on se quitterait. C'était pour moi la première fois. Ça m'a beaucoup plu, comme si la mari avait eu le pouvoir de stimuler ma libido. Le besoin de fumer de la mari avant de faire l'amour a d'ailleurs persisté tout le temps que j'ai consommé.

C'est drôle, mais quand je repense à l'époque où la mari est entrée dans ma vie, je croyais que tout le monde en consommait. Je la voyais partout. Pourtant, je peux dire que j'ai été la première qui, dans mon groupe d'amis, en a fait l'expérience — ce qui montre que, dès le début, mon jugement s'était altéré. Je voulais y goûter parce que « je pensais » que tout le monde s'y adonnait et parce que tout le monde s'y adonnait, je me disais qu'elle ne pouvait pas comporter de graves dangers. Cette manière de penser n'avait, bien sûr, rien à voir avec la réalité. Mais j'ai mis des années avant de me rendre compte que, sous l'influence de la drogue, je raisonnais tout de travers.

À l'école, j'ai fumé chaque fois que l'occasion s'est présentée, c'est-à-dire pas très souvent. Je gagnais bien un peu d'argent avec le *baby-sitting*, mais j'avais d'autres priorités que la drogue. Deux ou trois fois par mois, quelqu'un m'offrait de partager un *joint*. J'acceptais toujours, mais il ne me serait jamais venu à l'idée d'en acheter.

J'ai pris très au sérieux mes études universitaires. Je travaillais à temps partiel et j'étudiais à temps plein. Je vivais avec mes parents et j'essayais d'être une « bonne fille », même si j'étais obligée de mentir sur certaines de mes activités. Je ne voulais pas que mes parents sachent que je fumais de la mari. Ils auraient été peinés, inquiets, fâchés. Je n'aimais pas l'idée de leur mentir, mais il me fallait survivre à la maison. Je faisais tout pour éviter mes parents. Je séjournais chez eux comme on séjourne à l'hôtel, et non pas comme un membre d'une famille. Ils n'ont d'ailleurs pas tardé à manifester leur désapprobation de ma conduite et je leur en tenais rancune. Je ne tolérais pas cette manie de vouloir à tout prix me faire participer à la vie de famille, je disais qu'ils ne cherchaient qu'à s'immiscer dans ma vie privée. Plus ils insistaient pour savoir où j'allais, plus je leur racontais des histoires et plus je me détestais. Je haïssais surtout le fait qu'il m'était de plus en plus facile de mentir. Plus je me détestais, plus je fumais de mari. Elle m'évitait de ressentir la honte qui m'habitait.

Au début de ma deuxième année d'université, j'ai rencontré un type qui avait accès à de grandes quantités de marijuana. C'est lui qui m'a initiée aux bienfaits du «*joint* du matin». J'ai tout de suite été séduite et j'ai passé le reste de l'année *gelée* du matin au soir, le dernier *joint* me servant de somnifère. Ça ne semble pas avoir nui à mes résultats scolaires, même si je n'arrive plus aujourd'hui à me rappeler à quels cours j'étais inscrite. Je me souviens, cependant, d'avoir surtout travaillé et étudié. Tout le reste se perd dans la fumée de mes souvenirs.

Mon copain est parti à la fin du semestre. Il m'avait laissé une substantielle réserve de mari. J'étais sûre d'en avoir pour l'été ; deux semaines plus tard, le sac était vide. J'ai connu le manque et la terrible déprime qui va avec. Manquer de mari était insupportable ! Le matin, je devais faire des efforts inouïs pour me tirer du lit et pour me motiver à aller travailler. J'ai passé l'été « sur le carreau », comme on dit. Au début, j'ai pensé que j'étais simplement triste parce que j'avais perdu mon petit ami, mais je n'ai pas tardé à me rendre compte que son absence ne me faisait pas un pli. C'était la drogue qui me manquait. Pourtant, tout était relativement normal dans ma vie et j'aimais bien le travail que je faisais. N'eût été du cafard qui ne me quittait pas, j'aurais pu être heureuse. Puis, la fumée s'est dissipée dans ma tête et j'ai compris que ma morosité découlait de l'énorme quantité de mari que j'avais récemment consommée. Je ne m'étais jamais auparavant sentie aussi mal en point. J'avais dix-huit ans et

ça faisait deux ans et demi que je fumais de la drogue. Je
me suis dit que le pot n'était pas très bon pour ma santé
et j'ai résolu de ne plus en prendre. Cette décision m'a
soulagée du poids qui pesait sur ma conscience.

L'été tirait à sa fin quand je me suis inscrite dans
une université située loin de la maison. Pour payer les
frais supplémentaires, j'ai dû augmenter le nombre d'heures que je consacrais au travail rémunéré. À ma nouvelle
école, je me suis entourée d'amis qui ne touchaient pas à
la mari ou qui, à tout le moins, n'insistaient pas pour que
j'en consomme avec eux. Je me suis concentrée sur mes
études et j'ai continué à abattre de longues heures de
travail. Ça n'a pas été de tout repos. Les relations ten-
dues avec mes parents se sont radoucies. Ils étaient fiers
de leur fille : elle n'avait pas besoin de surveillance, elle
endossait ses responsabilités et se débrouillait très bien.
Je partageais aussi leur sentiment. Je n'arrêtais jamais,
mon horaire ne me laissait pas une minute de repos et je
me considérais très chanceuse de pouvoir, de temps en
temps, disposer d'un samedi après-midi pour moi seule.
J'avais de la veine, j'avais l'esprit libre de toute entrave,
je ne me serais pas si bien tirée d'affaire si la mari avait
encore été dans ma vie.

Quelques années plus tard, je fréquentais une école
spécialisée où je me suis fait un nouveau groupe d'amis.
L'un d'entre eux faisait pousser de la mari et en distri-
buait aux copains. À l'époque, je commençais à sentir les
effets de la fatigue de tant de travail et j'avais de la difficulté à m'endormir. Quelqu'un m'a dit que la mari aidait
à combattre l'insomnie. Je me suis souvenue que c'était
vrai et je lui ai dit que j'aimerais bien essayer, juste pour
voir si ça marchait. Il m'en a refilé une trentaine de grammes. C'était à prévoir : cette médecine m'a fait roupiller

comme une princesse. J'ai quand même été vigilante, je ne consommais que le soir, médicalement, avant d'aller au lit. Ce régime a duré un bon bout de temps.

Et puis, peu à peu, je me suis mise à transgresser mes règles et à fumer un peu plus souvent. Je me donnais, bien sûr, les meilleures raisons du monde d'agir ainsi. L'ennui, c'est que les occasions se multipliaient rapidement. J'ai commencé par les week-ends et ça s'est étendu aux parties, entre amis. Puis, j'en ai eu besoin pour les soirs où je sortais avec un gars que je ne connaissais pas. Enfin, j'ai recommencé à fumer en après-midi, les jours où j'étais trop stressée. Peu importe l'occasion, j'étais convaincue de prendre de la mari pour ses vertus médicinales. Je ne me rappelais plus du tout qu'à dix-huit ans, je m'étais promis de ne plus consommer parce que cette drogue ne me convenait pas. En fait, ce n'est que vers l'âge de trente-cinq ans et après quatre années de sobriété que cette promesse m'est revenue en mémoire.

Je n'ai pas beaucoup prisé mes premières expériences avec l'alcool. À l'époque de l'université, je devais me forcer à prendre de la bière parce que je n'aimais pas beaucoup le goût du houblon. Plus tard, à l'époque de mes études spécialisées, quelques amis m'ont initiée aux cocktails et j'y ai vite pris goût. J'avais presque trente ans. À la maison, le bar (une armoire de cuisine) était bien garni et je gardais toujours deux variétés de marijuana dans le congélateur. Je paniquais à l'idée d'en manquer. Quand mes réserves « diminuaient dangereusement », je courais en acheter. Je ne pouvais supporter l'idée d'en manquer !

Sur le plan professionnel, la qualité de mon travail faisait l'admiration de tous. J'avais beaucoup de succès.

Sur le plan personnel, il y avait toujours un homme dans ma vie. Côté relation, ça durait deux semaines et pas plus de deux ans — sans compter toutes ces aventures que j'ai menées deux de front. La mari faisait partie du quotidien, mais je ne consommais jamais avant de m'être « acquittée » de mes responsabilités. La formule paraissait satisfaisante. Peu à peu cependant, j'oubliais que je devenais une personne différente de celle que j'étais. J'ai en effet dit adieu à l'adolescente insouciante que j'avais été et j'ai perdu de vue la petite fille qui autrefois se respectait, celle qui, le matin, se levait avec les idées claires, celle qui avait conscience de ses capacités, celle qui était avide d'idées nouvelles, celle qui recherchait la compagnie des autres, celle qui s'émerveillait de la diversité du monde. Je n'avais même pas conscience de m'embourber dans une situation sans issue. Je me méprisais. Ce sentiment planait sur mes journées et mes soirées. Pour chasser mon malaise, je pratiquais un tas d'activités le jour et je collectionnais les amants la nuit. Mais le mal de vivre finissait toujours par refaire surface, par me surprendre au moment où je m'y attendais le moins. Quand ça me prenait, je me rabattais sur la mari et je partageais parfois mon désarroi avec une amie. Chaque année, le jour de mon anniversaire, j'espérais que l'année qui s'inaugurait allait être meilleure que la précédente. Extérieurement cependant, tout semblait baigner dans l'huile. Je me débrouillais bien dans la vie. J'avais du succès. Mon appartement était coquet. Mon quartier ne manquait pas de classe. J'avais habituellement un petit ami. On aurait dit que tout me réussissait.

À un moment donné, la mari a quelque peu perdu de son attrait. C'est que je découvrais la cocaïne, drogue qui me rendait hyperactive. Un jour, j'allais franchir le seuil de ma porte pour aller m'en procurer parce que j'étais fatiguée, quand la réalité m'a frappée de plein fouet. Ainsi donc, j'allais m'acheter de la *coke* pour chasser la fatigue alors qu'avant, je me serais simplement préparé une tasse de café. Sitôt que j'ai su que j'avais des problèmes avec la cocaïne, j'ai cessé d'en consommer. Je me rappelle alors m'être ouverte à des amis pour leur dire à quel point je trouvais que ma consommation d'alcool avait récemment augmenté. Je ne buvais plus occasionnellement mais quotidiennement ! Je leur ai aussi confié que la mari ne semblait plus « me faire autant d'effet » qu'avant. Même si ma consommation s'était intensifiée, ils m'ont suggéré de ne pas m'inquiéter. La plupart disaient consommer beaucoup plus que moi et ne s'en formalisaient pas pour autant. Ce genre de réponse en disait long sur les personnes que je fréquentais alors. Ils avaient beau consommer plus que je ne le faisais, ils ignoraient tout de même que mon métabolisme n'assimilait pas comme tout le monde la drogue que j'absorbais. Le fait que je consommais moins qu'eux ne signifiait pas automatiquement que je n'avais pas de problème. La mari que je fumais ne faisait plus autant effet qu'avant ? Qu'à cela ne tienne ! Ils connaissaient un revendeur qui me fournirait de la marijuana de bien meilleure qualité. Ces gens, en fait, faisaient partie de mon problème, pas de la solution. Mais, à l'époque, je ne savais pas faire la différence.

Il m'arrivait aussi, quand je fumais seule à la maison, de subir les affres de la paranoïa. Je croyais entendre des bruits suspects et je parcourais l'appartement, terrorisée à l'idée de découvrir quelque chose d'inhabituel. J'avais aussi de la difficulté à m'endormir quand j'avais fumé. J'essayais de me détendre, mais des idées aussi fuyantes qu'effrayantes me traversaient l'esprit.

L'ivresse de la mari n'améliorait certes pas les choses ;
en fait, elle les empirait. Mais j'en prenais quand même.
La mari m'avait autrefois aidée à dormir et je me disais
qu'il n'y avait pas de raison que ça ne fonctionne pas maintenant. Le pire est que je croyais toujours aussi aveuglé-
ment en son pouvoir soporifique !

Ce cirque a duré deux ans. Au début, je fumais tous
les jours, mais à la fin, j'avais réussi à diminuer ma consommation pour n'en prendre que tous les deux ou trois
jours. Résultat ? Ma paranoïa diminua et ma frustration
augmenta. Je voulais arrêter, mais c'était plus fort que
moi : chaque fois que mes réserves « diminuaient sérieusement », je courais en acheter d'autre.

Et puis, quelque chose de complètement fou est arrivé. J'ai rencontré un gars qui ne consommait ni drogue
ni alcool. Ça faisait un bail qu'il avait renoncé à tout ça.
J'étais sûre que j'allais trouver ce type ennuyeux au bout
de deux semaines. Depuis un bon bout de temps, j'écar-
tais systématiquement tous les gars qui ne consommaient
pas ; ils m'assommaient tous. Mais ce mec avait quelque
chose de différent. Il savait s'amuser, il était drôle et savait me faire rire. Je me divertissais de tout ce qu'il faisait et disait. Il avait le don de me mettre à l'aise. Dans
ses bras, je ne sentais jamais le vague à l'âme. Je ne m'y
suis jamais sentie coincée non plus, sur le plan émotionnel s'entend.

J'ai été quelques jours sans fumer de mari. Une semaine, puis une autre se sont écoulées. C'est alors que
j'ai résolu de ne pas fumer et de ne pas boire pendant un
mois. L'expérience m'a plu. J'aimais me lever le matin
sans cet horrible arrière-goût de mari dans la bouche.
Fini aussi l'impression de mollesse qui parfois me sub-

mergeait. Je sentais la vigueur de mes muscles. Je n'étais plus tout le temps dans les vapes.

J'ai tenu le coup un mois, puis deux, puis trois... et ça a continué. Un an et demi plus tard, je me suis rendue chez les AA. Je venais simplement d'admettre — sur le plan inconscient — que j'avais franchi la frontière qui sépare l'abus de la dépendance sans même m'en rendre compte. Avec la sobriété, beaucoup de souvenirs longtemps disparus refaisaient surface. Chacun d'eux me montrait le visage d'une trahison. Le jour où j'ai renoncé à « soigner » mon mal avec de la drogue, je n'ai plus été capable de nier la réalité et, peu à peu, j'ai pris conscience de ce qu'avait été mon existence au cours des dix dernières années.

J'ai finalement reconnu que j'étais une alcoolique et une toxicomane qui avait réussi à se duper elle-même sur tout ce qu'elle avait fait. Le déni dans lequel je m'étais enfermée toutes ces années n'avait rien de bien différent de celui de tous les autres alcooliques et toxicomanes. Il avait quelque chose d'insidieux qui m'a amenée à me mentir sur toute la ligne et à me justifier pour soutenir la pseudo-vérité de ma réalité de droguée. Je suppose que j'aurais dû être très honteuse de certains de mes comportements durant ces années, mais j'avais suffisamment appris sur cette maladie pour savoir que ce n'était pas mon vrai moi, mais un moi contrôlé par la drogue qui agissait à partir d'une réalité déformée. Je me suis pardonné, assez tôt, le fait d'avoir si sottement manqué de discernement. Je ne voulais pas que les regrets assombrissent ma vie ; je voulais désormais vivre sans drogues et être en mesure de prendre des décisions dont je serais fière.

Il m'a été très difficile de m'adapter au mode de vie des AA. Je n'y croyais pas du tout au début. Je ne pouvais même pas articuler le mot *Dieu*. Je me disais : « Il n'existe pas. » Je refusais le concept même d'une *Puissance supérieure*. Je ne tenais qu'une seule chose pour sûre : une balade à la campagne m'aidait à combattre mon stress. J'ai donc fait de Mère Nature ma Puissance supérieure jusqu'à ce que, trois ans plus tard, je laisse enfin Dieu entrer dans ma vie.

Je suis heureuse de voir que je ne suis plus autant agressive qu'avant. J'aime aussi l'insouciance dont je suis capable quand je n'essaie plus de porter le monde sur mes épaules. Il me plaît de demander de l'aide et je suis toujours attentive aux leçons que la vie me sert quand je pense que je peux tout contrôler. Aujourd'hui, je n'essaie plus de manipuler pour que tout s'ajuste à ma volonté. Je ne pose plus de questions, je mords dans la vie telle qu'elle est. Avant, j'employais la méthode dure : je me cognais plusieurs fois la tête contre le mur pour enfin réaliser une chose. Aujourd'hui, j'évite les murs, j'utilise plutôt les outils dont je dispose pour comprendre ce qui se passe. Je suis encore pleine d'ambition, mais je n'accepte plus de travailler comme une forcenée. Oh, j'ai autant de succès qu'avant dans ma vie professionnelle. La différence est qu'aujourd'hui j'essaie simplement d'agir de manière équilibrée. Ma vie de famille passe en premier ; la carrière, en second. Je ne peux pas dire que mon sens de l'équilibre ne connaît pas occasionnellement quelques ratés, mais je fais beaucoup d'efforts pour mettre de la stabilité dans ma vie.

Au début de la trentaine, quand j'ai commencé à flirter avec l'idée que ce serait peut-être une bonne chose pour moi de renoncer à l'alcool et à la mari, je n'arrivais pas à imaginer comment j'allais faire pour m'en passer. Je ne me rappelais plus la période où, entre dix-huit et vingt et un ans, j'avais vécu heureuse et abstinente. J'avais aussi oublié que, vers le milieu de la vingtaine, j'avais été presque un an sans consommer de mari parce que, encore une fois, je trouvais que cette drogue avait sur moi trop d'effets indésirables. Au début de la trentaine, voici que ma vieille peur refaisait surface : la vie allait être ennuyeuse sans marijuana. Avais-je donc effacé de ma mémoire les périodes de ma vie où j'avais vécu sans consommer ? Tout ce dont je me souviens de cette époque est que je ne pouvais supporter l'idée de vivre une semaine sans mari — quelques jours, peut-être, mais certainement pas une semaine entière.

Je viens de célébrer douze années de recouvrance dans les AA. C'est un vrai miracle ! Et ne me dites pas que les miracles n'existent pas !

Il n'y a pas un seul jour, au cours de ces douze années, où je me suis ennuyée. J'ai appris tant et tant de choses dans tous les domaines. Dans ma vie, par exemple, j'ai perdu beaucoup de ma brusquerie naturelle et il est somme toute assez facile de s'entendre avec moi. J'ai aussi retrouvé mon sens de l'humour. Je lis beaucoup. Je pratique toutes sortes de sports. Je m'intéresse au cinéma, au théâtre. J'ai de bons amis. Je me rappelle aujourd'hui l'événement auquel j'ai assisté hier. Ça fait un bail que je vis avec le même homme. J'ai découvert qu'être maman est la plus belle chose qui pouvait m'arriver. Je raisonne avec lucidité et je sais, aujourd'hui, que les moments de confusion et de stress émotionnel « finissent toujours par passer ». Je n'ai qu'à utiliser les outils que le mode de vie a mis à ma disposition pour tenir le coup. J'ai appris à demander et à accepter de l'aide et je m'en sors aujourd'hui sans ma médication. Il est vrai que la vie peut parfois être très éprouvante, mais je me console en me disant que la souffrance est une sensation concrète, vraie et purement émotionnelle. Je sais aussi qu'elle ne me fera pas mourir. Tout au plus connaîtrai-je quelques nuits d'insomnie, mais mon âme et mon esprit — tout mon être en fait — sont libres. Comment ne serais-je pas débordante de gratitude ?

Sur le plan professionnel, j'ai choisi un domaine assez différent de ce à quoi mes études m'avaient préparée, mais je suis très heureuse du choix que j'ai fait. J'aime mon travail. Il m'épanouit et n'exige pas trop de mon énergie. Il m'en reste pour ma famille qui est au cœur de ma vie actuelle. C'est drôle, mon passé me prouve que mon échelle des valeurs n'est plus du tout la même qu'avant. À l'époque où je me *gelais,* la vie que je mène actuellement me serait apparue « triviale », « aliénante », « petite-bourgeoise », « conventionnelle » et, sans doute « emmerdante ». Il faut dire qu'à l'époque, je jugeais et condamnait arbitrairement tout ce qui ne faisait pas mon affaire. Il me semblait que le fait de vivre en consommant faisait tellement plus *cool.* Mais je sais aujourd'hui qu'il n'en est rien. Je préfère, et de loin, la personne que je suis devenue à la personne que j'essayais d'être à l'époque où je me *gelais.* J'avais beau me cacher derrière l'image de la fille qui réussissait, au fond, quand j'étais lucide, j'étais profondément malheureuse.

Je n'ai plus l'impression qu'il faut que je me batte pour devenir quelqu'un d'autre. Mon nouveau mode de vie me semble au contraire naturel et merveilleux. Avant, j'avais peur du célibat ; aujourd'hui, ma peur a complètement disparu. Avant, je passais mon temps à me demander si j'allais un jour vivre une relation avec un homme qui me respecterait ; aujourd'hui, je peux dire que ça y est. La vie à deux n'est pas toujours facile, mais elle mérite certainement le temps et les efforts que j'y investis.

Au début des années soixante, je voulais changer le monde. Aujourd'hui, j'ai changé *mon* monde. Je veux vivre ma vie avec toute l'honnêteté et l'intégrité dont je suis capable. J'aime que mes actions et mes paroles soient conséquentes avec mes principes.

La vie est loin d'être parfaite. J'ai vécu des moments extrêmement pénibles au cours de ma recouvrance, des moments que j'ai traversés sans consommer, et ce, grâce aux outils que j'ai développés dans les AA où j'ai trouvé des amis qui m'ont dispensé aide et conseils. Les Douze Étapes m'ont d'autre part été d'un précieux secours en encadrant mon nouveau mode de vie. La relation que j'entretiens aujourd'hui avec ma Puissance supérieure m'aide également beaucoup ; elle me rappelle que toute souffrance a une fin.

J'hésite un peu à aborder le chapitre suivant de mon histoire. Mais je sais que ce que j'ai vécu a été le lot de beaucoup d'autres personnes en recouvrance et c'est pourquoi je pense que je ne devrais pas passer ça sous silence.

L'année qui vient de s'écouler a été la période la plus dure de ma recouvrance. En fait, je crois que ma Puissance supérieure essayait de me dire depuis des mois une chose que je refusais d'admettre. J'avais des problèmes de santé pour lesquels les docteurs avaient prescrit un traitement hormonal puissant. Très éprouvante sur le plan émotionnel, cette médecine m'a occasionné des crises de confusion et d'angoisse comme je n'en avais jamais connues auparavant. En même temps — je vous prie de croire que ça n'a pas été très facile à vivre — j'ai traversé une série de crises et de pertes émotionnelles et physiologiques qui ont passablement miné mes forces émotionnelles. J'ai en effet surmonté quatre dépressions majeures avant d'affronter la cinquième. J'étais totalement déboussolée, je pleurais tout le temps et sans raison, j'étais incapable de m'arrêter. C'est ce qui m'a décidée à demander de l'aide à l'extérieur du mouvement AA. Mais j'ai hésité longtemps avant de passer à l'action. Cette idée ne me souriait pas du tout. Mais je n'avais pas le choix. Sur le plan émotionnel, j'étais complètement vidée, sans réserve aucune, pour m'aider à surmonter la dépression, pour la cinquième fois.

Je suis allée voir une psychiatre qui m'a tout de suite rassurée. Après avoir entendu mon histoire (je ne lui ai rien caché), elle a dit que, de toute évidence, mes facultés étaient intactes. Je n'aurais certainement pas tenu le coup sans toutes ces années dans les AA à apprendre à utiliser les merveilleux outils de ce mouvement. Mais je luttais présentement contre un déséquilibre métabolique sur lequel les principes AA n'avaient aucune prise. La psychiatre a prescrit un traitement au Prozac (dose minimale) et, en moins d'une semaine, je suis redevenue moi-même.

J'ai compris que j'avais arbitrairement fixé les limites de la recouvrance aux seuls moyens que me fournissaient mon expérience de vie et les AA. De fait, ma fierté m'empêchait d'aller voir ailleurs. Je suis contente d'avoir « marché » sur mon orgueil, comme on dit. Ça m'a rendu ma force et la santé, tant sur le plan physique que sur le plan moral — cette santé que le traitement hormonal avait anormalement carencée. Quand on doit prendre des médicaments, il est important de respecter ce qui est écrit sur l'ordonnance du médecin. Pendant longtemps, j'ai joué les docteurs en me prescrivant librement des doses de marijuana et d'alcool dont je fixais arbitrairement la posologie. Aujourd'hui, je suis les ordres du médecin à la lettre.

Je crois que les alcooliques et les toxicomanes sont davantage sujets à la dépression que les gens dits « normaux ». Je pense que cela est attribuable à la chimie du cerveau qui, en se déstabilisant, engendre le déséquilibre psychologique. Ça n'a pas du tout été facile de me résoudre à aller voir un spécialiste en santé mentale et d'admettre que j'avais besoin de vrais médicaments. J'avais très peur parce qu'avant, c'était la mari qui me servait de spécialiste.

Un an plus tard, j'ai voulu savoir comment j'allais fonctionner sans Prozac. J'espérais que l'équilibre était revenu au sein de mon métabolisme. J'ai cessé d'en prendre il y a trois mois et je vais très bien.

À part ces terribles problèmes que m'a occasionnés le malheureux traitement hormonal de l'an dernier, je peux dire que je n'ai que d'heureux souvenirs de la recouvrance. Je me suis mariée et j'ai fondé une famille que je regarde grandir d'un œil attendri. J'ai réussi à faire tout cela sans aucune drogue. J'ai réorienté ma carrière, je voyage, je rencontre des tas de gens. Mon mari et moi sommes capables de célébrer un événement sans que le champagne coule à flots. On discute, on rit, on s'amuse, on va visiter des tas de trucs, on boit du jus de raisin coupé d'un peu d'eau gazéifié. On n'a pas l'impression qu'il nous manque quoi que ce soit. Ce n'est pas comme à l'époque où je croyais être privée de l'essentiel quand il n'y avait pas une bouteille d'excellent vin sur la table, quand je n'arrivais pas à me procurer la toute nou-

velle mari que tout le monde fumait ou quand je m'as-
soyais devant le feu sans un verre de brandy. Mais ce
n'est pas la mari, le vin, le brandy qui font qu'une soirée
est réussie, ce sont les gens qui nous entourent, l'am-
biance qui y règne, les sentiments que l'on partage librement. Non, je n'ai décidément pas l'impression qu'il me
manque quelque chose.

Chaque matin où je me lève abstinente, chaque soir
où je me couche abstinente, j'ai la conviction d'avoir choisi
la bonne voie. C'est comme si on m'avait donné une seconde chance dans la vie. J'aime beaucoup mieux profiter de la recouvrance que de vivre quotidiennement
recluse dans la solitude et la déprime où je ne pouvais
compter que sur moi-même pour que quelque chose (peu
importe quoi) se produise dans la vie. J'ai plusieurs fois
essayé, de mon propre chef, de faire bouger les choses, le
plus souvent sans résultat. Ça me mettait en rogne et je
versais dans le ressentiment. J'en voulais à tout ce que je
croyais susceptible de s'être mis en travers de ma route.
Je passais mon temps à distribuer les blâmes à gauche
et à droite ; je vivais comme une enragée. Mais cette époque est révolue. Je ne suis plus seule. Je n'ai pas à me
débrouiller sans aide, beaucoup de gens me soutiennent
et m'encouragent dans ma vie. J'espère composer avec
eux encore longtemps et je compte bien ne jamais cesser
de les apprécier à leur juste valeur. J'ai l'intention de
continuer à rechercher leur compagnie et à leur témoigner ma gratitude.

J'aime ma nouvelle vie et je ne regrette nullement
l'ancienne. J'éprouve une pointe d'orgueil et une grande
reconnaissance à l'idée d'être aujourd'hui une dépendante
et une alcoolique en recouvrance. Avant je vivais dans
l'abattement, je redoutais constamment que le ciel ne me

tombe sur la tête, je survivais et j'avais l'impression que le malheur s'acharnait sur moi. Saviez-vous que la plupart des gens qui souffrent de la dépendance mourront des suites de cette maladie ou périront dans un accident où elle est généralement en cause ? Je sais aujourd'hui qu'il y a très peu de chances que ça m'arrive. Il faut simplement que je laisse la drogue et l'alcool en dehors de ma vie et c'est bien ce que j'ai l'intention de faire. Si telle est la volonté de Dieu, mes enfants grandiront en sachant qu'il est possible de s'amuser sans consommer et je souhaite de tout mon cœur que ne s'éveille jamais la maladie qui sommeille peut-être dans leurs gènes.

Je me considère très chanceuse que mon partenaire et meilleur ami soit aussi mon mari. Le fait qu'il ne consomme pas m'a considérablement facilité la tâche, surtout au début de ma recouvrance. Je suis contente de vivre dans un environnement sans drogue ni alcool. Il n'y a pratiquement personne autour de moi qui en consomme. Quand on m'offre à boire ou à fumer, je réponds : « Non, merci » ou encore « Désolé, je ne bois pas. » L'an dernier, le 4 juillet, j'ai par hasard senti une odeur de mari dans l'air ambiant. Ça m'a fait sourire. Qui aurait dit que j'étais capable de vivre aussi longtemps sans respirer cette boucane ?

Je n'aurais jamais imaginé la vie que je mène aujourd'hui. Je ne me doutais pas qu'elle puisse être aussi belle. Dire que je ne rêve pas ! Il n'est pas rare que le regard de mon mari croise le mien avec l'air de dire : « On ne saurait demander mieux ! » Il est vrai que je ne suis pas toujours aussi positive ; j'ai mes combats à livrer. Il est des jours où l'équilibre me vient presque naturellement et d'autres où il m'échappe complètement. Mais je ne perds plus contact avec la réalité et je suis ouverte à la critique quand quelqu'un près de moi me suggère de ralentir un peu.

La recouvrance m'a réservé tant de surprises que je ne les compte plus. Je me sens plus près aujourd'hui de la petite fille que j'étais que de la femme que j'ai été entre vingt-deux et trente-deux ans. Techniquement parlant, je suis une personne « d'âge moyen », mais je me sens beaucoup trop active pour accepter cette étiquette. J'aime la vie avec passion et, s'il m'arrive quelquefois de me sentir dépassée par les événements, je crois sincèrement qu'elle mérite d'être vécue.

Avec la drogue, j'ai connu le désespoir sans vraiment perdre la face. Je n'ai pas perdu mon emploi, je n'ai pas été obligée de vendre la maison, je n'ai jamais fait de prostitution. Je n'ai pas perdu mon permis de conduire, même s'il m'est certains jours arrivé de rentrer à la maison en me félicitant d'avoir évité les voitures stationnées au bord de la route. Je me souviens d'avoir été déprimée sans raison aucune. La consommation m'a ôté ce que j'avais de plus précieux : l'estime de moi. Je suis d'ailleurs convaincue qu'à cette époque, j'ai dû perdre le respect d'à peu près tous ceux qui me côtoyaient. J'aimerais en discuter avec eux, mais ils ne sont plus là maintenant. Ils sont partis le jour où j'ai cessé de leur accorder de l'importance. C'est de l'intérieur que j'ai touché le fond et je suis descendue assez bas, merci ! Je ne veux plus jamais revivre quelque chose de pareil ! Je ne savais même plus ce qu'était la vie sans consommer. Ne fallait-il pas que je sois tombée très bas pour souhaiter essayer une vie sans drogue ? Mais j'ai quand même essayé. Et ça fait douze ans — douze belles années ! — que ça dure. Je crois que je vais continuer dans cette voie, car j'ai encore beaucoup de choses à apprendre.

CHAPITRE ONZE

Judith

Quinze ans d'abstinence

Propriétaire d'une petite entreprise

38 ans

Nous habitions une grande ville située sur les bords de l'Atlantique. D'origine italienne, ma mère était une catholique fervente. C'était aussi une femme soumise à son mari, un homme extrêmement violent auprès de qui il était difficile de vivre. L'irascibilité du tempérament de mon père l'avait d'ailleurs amené à tabasser régulièrement ses deux fils qu'il avait eus d'un premier mariage. Père avait mis le premier à la porte, un peu avant qu'il n'atteigne sa majorité, tandis que le second déserta le foyer familial à l'âge de treize ans. Notre famille n'a pratiquement pas eu de contacts avec eux. J'ai été l'unique enfant du second mariage de mon père.

Quand je pense à ma jeunesse, je revois une petite fille qui vivait dans la terreur d'un danger imminent. Papa ne buvait pas, mais il n'arrivait pas à contrôler ses émotions. Il s'emportait sans raison apparente et perdait complètement la tête. Quand il explosait, il hurlait, frappait, lançait tout ce qui lui tombait sous la main. Maman avait, elle aussi, très peur de lui. Vivre à l'ombre de sa colère aura été à l'origine de beaucoup de stress dans ma vie.

Mes parents travaillaient beaucoup ; j'ai été laissée à moi-même durant presque toute mon enfance. Je n'avais pas un an quand j'ai commencé à fréquenter les garderies. Vers l'âge de sept ou huit ans, j'ai appris à me débrouiller seule à la maison. Je devais rentrer directement de l'école et ne plus remettre le nez dehors où il m'était interdit d'aller sans surveillance. C'est à cette époque que j'ai appris l'autosuffisance. Je jouais souvent à me costumer ; j'étais tour à tour une princesse, une reine, une star internationale. Je n'étais pas très portée à me mêler aux autres enfants, même quand je pouvais jouer avec eux. Je n'en avais pas vraiment envie ; je préférais être seule.

C'est à cette époque que j'ai pris l'habitude de manger sans raison. Je me rappelle avoir bouffé sans arrêt des après-midi entiers. Je n'aimais ni la personne que j'étais ni la vie que je menais. Maman me répétait souvent : « Les voisins savent tout. Ils entendent ton père qui crie tout le temps. C'est tellement humiliant. Ils nous regardent comme si nous n'avions aucune dignité, comme si nous étions des misérables. » J'ai grandi au milieu de la honte et de la gêne. Manger a été le premier moyen que j'ai trouvé pour me réconforter.

Vers l'âge de dix ou onze ans, j'en ai eu assez d'être grosse et j'ai commencé à me priver de nourriture. À un moment donné, j'avais réduit ma dose de subsistance quotidienne à environ trois cents calories. À l'école, je ne mangeais jamais mon lunch avec les autres élèves, je ne voulais pas qu'ils sachent que le menu de mon dîner se résumait à une pomme. Un jour, une prof qui m'aimait bien a exprimé son inquiétude de me voir dépérir, mais il n'y avait rien à faire. J'étais déprimée pour la première fois de ma vie. Je me sentais honteuse, désorientée, démunie. J'avais le vague à l'âme. Mes réussites académiques ne parvenaient pas à chasser ma douleur de vivre.

Je devais avoir douze ans quand j'ai découvert l'alcool. J'étais chez une amie où j'avais passé la nuit. J'ai bu à outrance et ça m'a rendue malade comme un chien ; j'ai même perdu conscience. J'ai mis deux jours à me remettre de cette cuite. Mes parents étaient furieux. C'est à la suite de cette aventure que j'ai commencé à lâcher mon fou avec les autres à l'école. Je me sauvais de l'école catholique pour me tenir avec les jeunes marginaux de l'école publique locale. Je me maquillais à outrance. C'est là que, en compagnie d'une copine, j'ai fait ma première expérience avec la mari. Je me rappelle m'être dit après : « Décidément, cette drogue ne fait pas beaucoup d'effet », ce qui ne m'a pas empêchée d'en reprendre chaque fois qu'on m'en offrait.

Je vous parle du début des années soixante-dix. Je piquais des somnifères dans la réserve de mes parents ; les pilules m'aidaient à me relaxer. Je ne refusais jamais le *joint* qu'on me tendait, mais je ne buvais pas beaucoup d'alcool. J'avais quatorze ans quand j'ai expérimenté la plupart des drogues de rue (comme *l'acide* et les *Quaaludes*). La marijuana n'était jamais complètement absente du paysage, mais je ne considérais pas, à l'époque, que c'était prendre de la drogue que d'en consommer. Fumer un *joint* était, pour moi, un acte aussi inoffensif que de me brosser les dents ; ça faisait partie de ma vie, de ma routine. J'adorais ça.

Mais l'exécrable sentiment que j'avais de ne jamais être à la hauteur exacerbait mon mal de vivre. J'étais convaincue d'être une moins que rien et je trouvais cela très difficile à assumer, sauf quand je me *gelais*. Sous l'influence de la mari, je me foutais de tout et j'avais l'impression d'avoir moins mal.

J'ai balancé l'école catholique et je me suis inscrite à l'école secondaire de mon quartier. J'avais toujours un petit ami en réserve. Sur le plan moral, je ne me formalisais de rien. Je crois que cette attitude n'est pas attribuable qu'à la drogue. Dans les années soixante-dix, tout le monde était comme ça. C'était très *cool* dans le temps. Je faisais tout pour sentir que j'étais comme tout le monde. Au fond, je n'avais pas assez d'estime de moi pour dire non aux demandes et exigences des autres.

À l'école secondaire, j'ai fait la connaissance d'un type très bien qui fréquentait une université située à quelques heures de route de chez nous. Nous sommes sortis ensemble quelque quatre ans. Je n'étais pas tout à fait l'innocente petite fille qu'il croyait connaître. Je sortais en célibataire chaque fois qu'il avait le dos tourné. Quand il venait me visiter, j'entrais, pour quelques jours, dans la peau de la bonne et douce jeune fille qu'il connaissait. J'avais de l'éducation et je pouvais jouer la femme fidèle. Le gars était un inconditionnel de la mari ; je n'ai donc pas eu à lui cacher cet aspect de ma vie. Ses amis de l'université buvaient de la bière. Je me suis donc mise à consommer en quantité industrielle le champagne des pauvres. Je m'amusais comme une petite folle.

Je n'avais pas sitôt décroché mon diplôme secondaire que je suis partie de chez mes parents pour aller vivre avec lui. Je n'avais pas encore de travail. J'étais *gelée* du matin au soir. Je ne m'arrêtais que lorsque j'avais sommeil. Ou lorsque j'étais trop ivre. Il m'arrivait parfois de fumer toute seule, mais je ne buvais jamais sans compagnie. Autour de nous, les gens de notre âge adoptaient pour la plupart le mode de vie hippie. Moi, je faisais comme eux. Cinq ou six mois se sont écoulés ainsi. Puis, un jour, mon petit ami m'a gentiment suggéré de me trouver un emploi ou de retourner aux études. J'ai travaillé dans une boîte et dans une autre, mais ça n'a pas marché. Le travail me dérobait le temps que je consacrais à flâner et à me *geler*. Une seule chose m'importait dans la vie : m'amuser, m'éclater avec les amis. Tout le reste me laissait complètement indifférente. J'ai commencé à nourrir du ressentiment envers mon petit ami qui n'avait pas l'obligeance de me laisser tranquillement mener ma petite vie de hippie où j'étais libre de me *geler* aussi souvent que ça me tentait.

J'ai fini par me dire que ce serait, au fond, une bonne chose de retourner vivre chez mes parents. Le quartier qu'ils habitaient était sécuritaire et j'étais, chez eux, entièrement libre de n'en faire qu'à ma tête. J'allais pouvoir m'éclater autant que je le désirais et aucun imbécile (c'était quand même un chic type, ce mec) ne viendrait plus me mettre les bâtons dans les roues en m'ordonnant de travailler ou d'étudier. Plus j'y pensais, plus il me semblait que c'était la meilleure chose qui pouvait m'arriver. J'ai laissé tomber le type et je suis rentrée.

Quand je suis arrivée chez mes parents, je filais un mauvais coton. J'ai arrêté de manger et j'ai beaucoup maigri. J'ai aussi renoncé à l'alcool, mais pas à la mari. En fait, je ne faisais rien d'autre que de fumer tout le temps. Mes parents m'aidaient financièrement parce que je m'étais inscrite dans une université. C'est vers la fin du premier semestre que j'ai connu mes premières crises sévères de paranoïa. Quand ça me prenait, je me disais : « Il est temps de mettre de l'ordre dans ma vie. J'arrête de boire et de consommer des drogues. » Ce que j'ai fait.

L'ennui est que, à l'époque, je ne considérais pas — et j'étais des plus sincères — que la mari fut une drogue ; je n'avais donc pas à m'en passer.

Je me suis, pendant environ deux semestres, jetée corps et âme dans mes études tout en fumant à plein temps. Un soir, une copine m'a demandé de l'accompagner dans une partie qui avait lieu dans un club privé. Je l'ai suivie. Cette soirée a mis un terme à mon projet de « mettre de l'ordre dans ma vie ». Adieu devoirs et leçons : par ici la défonce ! Je sortais tous les soirs. Je passais souvent des nuits blanches. Je n'ai pas complété le second semestre. J'ai quitté l'université et je suis allée travailler pour le club privé où tout avait commencé. Je vivais toujours chez mes parents, je ne foutais rien et je « perdais le nord ».

C'était l'époque où j'ai compris que, dans la vie, j'avais hérité de la piètre estime de soi de ma mère et, de mon père, le sale caractère. Maman avait peur de moi parce que j'explosais littéralement chaque fois qu'elle essayait de me dire comment me comporter. Personne n'avait le droit de me dire quoi faire ! Je ne prenais d'ordres de personne et je regardais le monde avec un air de défi qui décourageait, chez les autres, toute velléité de contrariété. Je déclarais la guerre à tous ceux et celles qui ne se pliaient pas à mes caprices. Je savais que mon père n'avait pas le pouvoir de me jeter à la porte comme il n'avait pas hésité à le faire autrefois avec son aîné. Ma mère s'y serait opposée, car elle me protégeait. En un sens, c'était la belle vie chez mes parents. J'avais un trou où nicher, de l'argent plein les poches, de la bouffe dans le frigo et une voiture à ma disposition. Je sortais et rentrais à toute heure du jour et de la nuit. L'autre côté de la médaille ?

Je vivais en un milieu où la violence physique et verbale était monnaie courante. Mais, après tout, j'en avais l'habitude.

Entre dix-huit et vingt-trois ans, l'âge où j'ai connu la recouvrance, je n'ai vécu que pour me *geler*. Les gars que je fréquentais, à l'époque, étaient tous aussi *sautés* que moi. Je n'ai jamais, au cours de cette période, manqué de drogue. Je fumais toute la journée : le matin, avant de me rendre au travail, le midi, pendant le lunch, en fin de journée, après le travail et le soir, avant d'aller dormir. Ça n'arrêtait jamais. Il m'est occasionnellement arrivé de me questionner sur ma consommation d'alcool. Je me disais que les gens qui buvaient autant que moi étaient sûrement des alcooliques. Curieusement, je n'ai jamais pensé ça de la marijuana.

J'ai souvenance d'une certaine matinée. J'étais en compagnie d'une amie et nous discutions du crétin avec qui elle avait passé la nuit. La conversation a dérivé sur tous ces minus qui passaient dans notre vie. Dans un éclair de lucidité, je me suis tournée vers elle pour dire : « Et si c'étaient nous qui étions dans l'erreur ? Quand on a trop bu, on " perd le nord ", on fait des folies. Non ? » Elle a répondu : « Non, non, c'est pas nous, ce sont eux les débiles. » Je lui ai dit : « T'as raison, c'est pas nous, ce sont eux. » La lucidité n'était vraiment pas mon fort, à l'époque.

Au début de la vingtaine, j'ai changé de mode de vie : végétarisme et course à pied. Pour moi, il n'y avait aucune contradiction entre le fait que je prenne soin de ma santé et que je fume de la mari. Je m'entraînais comme une fanatique : je courais le matin et le soir, avant et après ma journée de travail et je ne manquais jamais de fumer un joint avant mon entraînement. L'exercice a fait son effet : je me suis sentie mieux et j'ai emménagé dans mon propre appartement. C'était surtout les fins de semaine que je lâchais mon fou.

J'ai souvent essayé, au cours de cette période, de réduire ma consommation d'alcool que je sentais nuisible à mes exercices de course à pied. Mais je n'y arrivais jamais. J'ai donc décidé par moi-même de suivre un traitement. Je répétais à ma thérapeute que j'allais, au cours des trois ou quatre prochaines semaines, faire de sérieux efforts pour ne pas prendre un verre. Je ne lui parlais jamais de la mari parce que, pour moi, cette drogue était complètement étrangère à mon problème d'alcoolisme. Je n'avais, au demeurant, aucune intention de cesser d'en fumer.

J'avais beau faire de « sérieux efforts », je n'arrivais pas à respecter mes promesses de ne plus consommer d'alcool. Le *party* a repris de plus belle. Un jour, en jetant un œil sur mon bureau, je me suis demandé ce que j'allais bien faire de la pile de dossiers qui s'y accumulaient. Je n'étais tout simplement plus capable de fonctionner normalement. Mes nombreuses et récentes virées m'avaient ravi ce qui me restait d'énergie. J'ai ramassé mes affaires et je suis partie pour de bon du bureau. Cette décision m'a coûté mon appartement et j'ai été obligée de retourner chez mes parents où j'ai vécu dans la paranoïa. Je passais tout mon temps dans ma chambre à fumer de la mari.

Quelques mois plus tard, j'avais pourtant pris du mieux ; assez en tout cas pour me trouver un travail. Je savais que l'alcool faisait problème et j'essayais de ne pas en consommer. Mais je n'ai pas cessé les somnifères et la mari. Mes nouvelles fonctions m'ouvraient de merveilleux horizons. Dommage, car je savais que j'allais tout bousiller.

Sitôt que j'ai recommencé à boire, j'ai été incapable de faire mes journées. Pour me sortir de la routine habituelle des bars, j'ai commencé à fréquenter les réunions AA. Ces réunions ont duré quelques mois, mais elles m'exaspéraient. Je haïssais les AA et je haïssais toute cette histoire de bon Dieu. Je me suis remise à boire, seule — je n'avais plus aucun ami. J'allais travailler parce que ça me permettait de me concentrer sur autre chose que la paranoïa qui m'habitait quand j'étais ailleurs qu'au bureau.

Un jour, je me suis soûlée plus que de coutume. En rentrant à la maison, j'ai reçu un coup de téléphone d'une amie membre AA qui voulait savoir comment j'allais. Je me suis ouverte à elle et je lui ai demandé de l'aide. J'ai recommencé par la suite à assister aux réunions où je me suis trouvé une marraine. Ce fut la fin de ma consommation d'alcool. Mais je n'avais pas pour autant renoncé à la mari. Quelques semaines plus tard, je me suis, cependant, rendu compte que ma consommation de marijuana et de pilules n'était pas, à proprement parler, compatible avec la recouvrance. Avant d'exprimer ouvertement mes doutes dans les réunions AA, j'en ai parlé à ma marraine. Elle est allée consulter un autre membre qui lui a dit que je devrais cesser immédiatement de consommer ces choses. Ma marraine a fait preuve de diplomatie en me disant que j'arrêterais le jour où je serais prête. Je n'oublierai jamais le jour où je lui ai annoncé que je venais de vider dans la toilette tout ce qui me restait de marijuana. J'en étais toute traumatisée (ça faisait à peine un mois que j'étais dans les AA).

Aujourd'hui, les pilules et l'alcool me laissent pratiquement indifférente et si ça ne me dérange pas que quelqu'un boive en ma présence, je suis beaucoup moins tolérante quand on fume de la mari. Cette drogue a longtemps été ma meilleure amie et ça me rend terriblement nerveuse de la savoir tout proche de moi. Quand il m'arrive d'être dans un endroit où quelqu'un allume un joint, je me sens en danger et je me dis encore : « Mon Dieu, aide-moi à tenir le coup ! »

À force d'entendre les membres AA avouer qu'ils avaient perdu la maîtrise de leur vie, j'ai compris que rien dans ma vie ne s'était réalisé tel que je l'avais souhaité. En fait, j'avais échoué dans tout ce que j'avais jusqu'alors entrepris. J'avais donc, moi aussi, perdu la maîtrise de ma vie ; tout autour de moi s'écroulait. Je ne voulais plus qu'on dise de moi que j'étais une « *sautée* » ; je n'aspirais en fait qu'à devenir quelqu'un d'autre.

Quand je suis entrée dans les AA, je doutais de l'existence d'une Puissance supérieure, là quelque part. Ce n'est qu'au bout de deux semaines d'abstinence à l'alcool que j'ai réalisé que quelque chose avait changé dans ma vie. Jamais auparavant je n'aurais réussi pareil exploit par moi-même. Au contraire, j'avais essayé d'arrêter de boire pendant des années et j'avais lamentablement échoué. Un miracle s'était produit, un miracle par lequel j'en suis venue à croire que quelque chose d'extérieur à moi était là pour m'aider.

Ça fait aujourd'hui quinze ans que je pratique le mode de vie des AA. Ma vie est exactement à l'opposé de ce qu'elle était. Absolument tout est différent. C'est vrai ! J'adore la vie que je mène. J'ai mis un certain temps à y arriver, mais ça en valait la peine.

Quand je suis entrée dans les AA, je me suis complètement consacrée aux Étapes. Le mouvement des AA est devenu la chose la plus importante dans ma vie. Et elle l'est demeurée pendant des années. Je travaillais, j'assistais aux réunions, je ne fréquentais que des membres abstinents. Je ne voulais pas me faire d'amis à l'extérieur du mouvement. Au début, je ne sortais pas beaucoup avec les garçons. Il m'a fallu beaucoup de temps d'immersion dans les AA avant de comprendre que je craignais que ma folie d'antan ne me reprenne. C'est d'ailleurs ce qui explique que j'avais pratiquement coupé les ponts avec l'extérieur : j'avais inconsciemment peur de rechuter. Ce n'est que lorsque j'ai assumé pleinement cette peur que j'ai commencé à élargir un peu plus ma vie. Je suis retournée aux études pour obtenir un diplôme. Avant, je me contentais d'un emploi après l'autre ; maintenant, je me lançais dans une carrière.

Vers ma septième année d'abstinence, j'ai connu une période de dépression qui devait durer deux années. Au début, la maladie m'a un peu prise au dépourvu, tout semblait bien aller dans ma vie. J'avais des outils efficaces pour combattre mes problèmes : j'essayais, en effet, de mettre régulièrement les Étapes en pratique. Il est vrai que j'avais, à plusieurs reprises depuis que j'étais toute jeune, traversé des périodes de profonde déprime. À l'époque, le mode de vie des AA m'aidait à ne pas sombrer et même à fonctionner presque normalement. Mais il est venu un temps où j'ai dû me rendre à l'évidence : j'avais besoin de plus que les AA. Mes états dépressifs étaient attribuables à un déséquilibre biochimique du métabolisme et n'étaient pas le fait d'un manque d'outils efficaces. Il a donc fallu que je mette mon faux orgueil de côté et que j'admette que les Étapes des AA ne pouvaient pas tout solutionner. Je me suis donc résolue à prendre du Prozac. Quelle différence ça a fait dans ma vie ! J'ai alors compris à quel point une bonne partie de mes énergies vitales avaient jusque-là servi à lutter contre la dépression. La vie est tellement plus simple depuis que je n'ai plus à me battre contre ça.

La plupart des membres des AA traversent des périodes difficiles au cours de la recouvrance. Je pense qu'il faut être solidement ancré dans les principes du mode de vie AA pour passer à travers les épreuves de la vie. Je suis tellement contente d'avoir, dès le début, donné de si solides assises à ma recouvrance. Ce sont elles qui m'ont soutenue au cours des deux terribles années qu'a duré ma dépression. Elles m'ont aussi aidée à surmonter une foule d'autres difficultés de moindre importance que j'ai eues à régler depuis que je suis en recouvrance.

Ces dernières années ont été extraordinaires. Je viens de me marier et je m'ouvre et grandis dans cette relation. Mon travail me rend heureuse. La vie que je mène me comble. Je me sens bien dans ma peau. La vie me semble si belle. Je sais maintenant comment lutter contre la dépression — si jamais elle revient hanter ma vie. Je suis consciente de ce que je fais. Je prie pour mieux comprendre ce qui se passe. J'écris aussi. J'utilise les outils que je connais. Je téléphone régulièrement à ma marraine. Je reste en contact avec d'autres membres des AA. C'est fantastique ! Pour moi, la prière m'a aidée à passer à travers tous mes problèmes. D'autres outils ? Téléphoner à son parrain ou sa marraine, cultiver la spiritualité, se tourner vers les AA pour du soutien. J'ai, de plus, avec les années, développé un réseau d'amis proches à qui je peux librement m'ouvrir. Il suffit de leur passer un coup de fil.

J'ai dernièrement assisté à une réunion où une membre m'a dit : « Que je suis contente de rencontrer une femme aussi *flyée* que toi ! » Il y a longtemps que je ne me considère plus comme une personne *flyée*. Je ne veux pas que l'on m'attribue des émotions délirantes et qu'on les porte ensuite, comme pour m'excuser, sur le compte de mon alcoolisme. Je ne suis pas d'accord avec ceux et celles qui pensent que la recouvrance consiste à ne pas boire, ne pas consommer de drogue tout en continuant à être *flyé*. Je ne veux plus vivre comme ça. Jouer les *flyés* occupe trop de temps et n'a rien d'amusant. Sans compter qu'il faut par la suite faire toutes sortes d'amendes honorables pour les bêtises qu'on a commises : autant de temps et d'énergie perdus. Enfin, les drames n'ont rien de particulièrement plaisants.

Les relations que j'entretiens depuis quinze ans sont d'une grande stabilité. J'aime respecter mes engagements et être ponctuelle. Je suis enfin devenue la personne dont j'avais toujours rêvé. Au début de ma recouvrance, je manquais d'outils pour trouver des solutions aux difficultés que j'affrontais ; j'arrivais difficilement à contrôler ma colère. Mais je dispose aujourd'hui de beaucoup d'années de pratique. Plus je persévère dans mon mode de vie, plus j'acquiers de l'expérience et plus les solutions me viennent aisément. Je sens en moi quelque chose de solide et ma relation avec ma Puissance supérieure l'est également. Ceux et celles qui me connaissent depuis des années ont une haute opinion de ce que je suis.

Le mariage a fait ressortir un tas de défauts de caractère dont j'ignorais tout puisque j'avais toujours refusé de travailler sur l'intimité. Heureusement que mon mari est un homme très compréhensif. C'est un type très bien. Il comprend ce que j'ai vécu.

Papa et maman sont morts pendant ma recouvrance. Papa est parti au cours de ma cinquième année d'abstinence. Notre relation s'était pas mal améliorée. J'avais deux ans de sobriété quand il m'a donné en cadeau une chose qui lui était des plus précieuses : il était tellement fier de moi. Son geste m'a profondément touchée. Papa est resté jusqu'à la fin une personne d'approche difficile. Je ne me suis jamais fait d'illusions et j'ai toujours su que nous ne serions jamais très près l'un de l'autre. Mais la recouvrance a bonifié les rapports entre nous. Aujourd'hui, je peux dire que j'ai quelques bons souvenirs de lui.

Avec ma mère, les dés étaient pipés. En un sens, c'était une femme remarquable, mais elle n'est jamais parvenue à surmonter la piètre estime qu'elle avait d'elle-même. On aurait dit qu'elle avait besoin que je reste dépendante d'elle ; ça lui donnait de bonnes raisons de s'occuper de moi. Mais quand on vit dans le giron d'une mère protectrice, on n'évolue pas. Notre relation a changé le jour où elle est tombée malade parce que c'était à mon tour de m'occuper d'elle. Cette expérience nous a beaucoup rapprochées l'une de l'autre. Mais je vous avouerai — et cela peut sembler bizarre — que le jour où elle est morte, j'ai pensé qu'il était temps qu'elle sorte de ma vie. Cette impression n'a bien sûr rien à voir avec un quelconque ressentiment que j'aurais entretenu envers elle. Je crois que sa présence m'empêchait de grandir, sur le plan spirituel. Et, de fait, depuis qu'elle est partie, j'ai beaucoup évolué.

Depuis que mes parents ne sont plus, je pense que je comprends beaucoup mieux ce qui s'est passé dans notre famille. En un sens, leur départ m'a donné la latitude dont j'avais besoin pour créer ma propre famille (je suis aujourd'hui enceinte) en faisant les choses différemment.

Mais j'ai beaucoup travaillé à la réussite de cette entreprise. J'ai passé beaucoup de temps en thérapie et toujours avec des intervenants qui connaissaient bien le mode de vie des AA.

C'est curieux. On entre dans les AA en se disant qu'il suffit de mettre les Étapes en pratique pour que tout aille pour le mieux. Mais le mode de vie en Douze Étapes est un processus, pas un point d'arrivée : on n'obtient pas de diplôme parce qu'on a suivi le cours sur les Étapes. J'ai essayé d'appliquer les Étapes de mille et une manières et, chaque fois, elles m'ont révélé quelque chose de plus sur moi-même. Mon mari peut bien me faire des remarques sur mon mauvais caractère, je suis toujours prête à discuter avec lui, à m'améliorer. J'aime apprendre. J'aime évoluer.

Quand j'ai commencé à aller aux AA, on m'a suggéré de me « coller » aux gagnants. J'ai commencé à choisir avec discernement les membres qui m'entouraient. Je recherchais des personnes stables qui savaient mettre les Étapes en pratique, des êtres dont la vie me servirait de modèle, des gens qui réussissaient. Je ne voulais pas devenir eux, je désirais seulement une partie de ce qu'ils avaient. Quinze ans plus tard, ces personnes sont toujours sobres et à mes côtés. Leur vie n'a pas cessé d'être satisfaisante, comme la mienne d'ailleurs. C'est tout de même quelque chose, non ?

CHAPITRE DOUZE

Sommaire et Conclusion

Le présent chapitre jette un regard critique sur l'expérience de la recouvrance. Mais avant de passer en revue les témoignages précédents, il nous faut préciser le sens de certaines expressions et concepts couramment utilisés. Nous nous appuierons, dans un second temps, sur l'expérience de notre pratique professionnelle pour dégager l'essentiel des témoignages recueillis. Nous serons ainsi en mesure de brosser, avec réalisme, un tableau complet sur la consommation de marijuana.

Sommaire

L'expression « ne pas avoir de mode de vie » s'applique à toute personne qui cesse de consommer de la drogue par la seule force de sa volonté, par opposition à ceux et celles qui optent pour un cheminement en recouvrance, prôné dans les réunions anonymes. « Ne pas avoir de mode de vie » signifie qu'une personne a renoncé à ses habitudes de consommation sans que rien de fondamental ne change dans son attitude face à la dépendance. C'est tout le contraire d'une personne en recouvrance qui réapprend à penser, à agir et à communiquer selon un mode de vie en Douze Étapes.

Quand un alcoolique est abstinent mais « n'a pas de mode de vie », on parle « d'ivresse mentale ». Il n'est pas rare d'entendre un dépendant en « ivresse mentale » déclarer : « En fin de compte, ma vie ne s'est guère améliorée depuis que je ne prends plus de drogue. Je ne me sens pas bien dans ma peau. Pourquoi me donner tant de mal pour aboutir à d'aussi piètres résultats ? » Par contre, la vie semble sourire à ceux et celles qui, ayant renoncé aux drogues (douces et dures) ainsi qu'aux psychotropes, ont adopté le mode de vie de la recouvrance, apprenant à vivre différemment.

Les premiers mois de la recouvrance sont souvent ceux du « nuage rose » (*pink cloud*), expression qui traduit l'état d'exaltation caractéristique des premiers temps de la recouvrance. Mais la réalité rattrape toujours les sujets qui finissent inévitablement par être un jour confrontés à des situations où leur décision de ne plus consommer est mise à rude épreuve. C'est à ce moment que commence pour eux le véritable « travail » de la recouvrance. Pour certains, la chute est brutale : elle coïncide avec un conflit affectif inattendu. Pour d'autres, le processus est moins abrupt, presque imperceptible : ils s'aperçoivent que l'enthousiasme des débuts s'est estompé et se rendent compte qu'ils sont, au fond, beaucoup plus vulnérables, beaucoup plus fragiles qu'ils ne l'avaient cru. Dans l'un et l'autre cas, rester abstinent est un défi de taille. Aide et conseils sont souvent nécessaires pour tenir le coup. L'abstinence aidant, l'euphorie caractéristique du « nuage rose » cède peu à peu la place au caractère moins passionnel et moins artificiel d'une certaine forme de sérénité qui va et vient, selon les jours et les difficultés à affronter.

À titre d'intervenante spécialisée dans le traitement des dépendances aux drogues et aux psychotropes, j'ai remarqué que les réunions anonymes favorisent l'abstinence de ceux et celles qui les fréquentent. La grande majorité des centres de désintoxication ont fait de la méthode des Douze Étapes des AA la base même de leur intervention thérapeutique. Au début de ma carrière, je traitais tous ceux et celles qui demandaient de l'aide, et ce, indépendamment du fait qu'ils acceptent ou non de se rendre dans les réunions des Douze Étapes. Mais les innombrables rechutes dont j'ai été témoin m'ont convaincue de la terrible puissance de la maladie de la dépendance et j'ai résolu d'obliger tous mes clients à participer à un programme Douze Étapes.

À l'époque où j'ai fait mes études professionnelles, les profs attiraient notre attention sur la dimension psychologique des problèmes qui poussent les gens à abuser de l'alcool et des drogues. Mais les raisons psychologiques demandent du temps à investiguer et la plupart des patients seront morts avant que vous ne parveniez à découvrir les supposés motifs inconscients qui poussent à la consommation. Cependant, il n'est pas rare que des intervenants spécialisés relèguent souvent au second plan la dimension psychologique du phénomène. Leur expérience leur a, en effet, montré, sans l'ombre d'un doute, que ceux et celles qui ont des problèmes avec la drogue et les psychotropes souffrent en fait d'une maladie.

La position officielle de l'American Medical Association est que la dépendance aux drogues et aux psychotropes est une maladie physiologique, c'est-à-dire une pathologie où les sujets consomment avec excès alcool et drogues de toutes sortes. Les problèmes psychologiques et les traumatismes émotionnels poussent sans doute les sujets à consommer, mais ils ne figurent nullement comme causes premières de la maladie. Je partage l'opinion de la plupart des spécialistes en toxicomanie : pour que le traitement soit efficace sur tous les plans, il faut un temps d'abstinence minimal. Rappeler prématurément à la conscience des situations potentiellement explosives sur le plan émotif risque de nuire à la bonne marche de la thérapie. Le sujet ne disposera pas en début de traitement d'outils et de techniques efficaces lui permettant d'affronter ses souffrances émotionnelles. Le sujet se rabattra alors sur le seul remède efficace qu'il connaisse pour engourdir ou calmer sa souffrance : fuir en consommant de la drogue. En d'autres termes, il rechutera.

Quand un nouveau venu en recouvrance vient consulter la première fois, le thérapeute est appelé à tout mener de front. Il lui faut, dans un premier temps, renseigner son client sur sa maladie de la dépendance et, ensuite, lui laisser un peu de temps pour qu'il s'adapte à l'idée qu'il souffre d'une maladie chronique, progressive et parfois mortelle, mais surtout d'une maladie où les risques de rechute sont élevés. Les sujets doivent ensuite se familiariser avec les outils que la recouvrance met à leur disposition. Dans un troisième temps, ils seront appelés à se réconcilier avec leur bagage émotionnel passé s'ils veulent continuer à vivre abstinents. Je sais par expérience que, lorsqu'un client commence à se rétablir, il me faut endosser les rôles de représentante publicitaire (vendre l'idée de la recouvrance), d'éducatrice, de motivatrice, de directrice et de thérapeute.

L'expression double diagnostic désigne les personnes qui, en plus d'un problème de dépendance à la drogue, souffrent aussi de graves problèmes mentaux. Quand un client me demande si ses états dépressifs sont attribuables à une maladie chronique ou à des troubles émotionnels, je lui réponds simplement : « Avant de vous soumettre à une batterie de tests psychologiques plus poussés, je suggère que vous cessiez de consommer drogues et alcool ; nous verrons bien ce qui se passera alors sur le plan des sentiments. » J'ai vu des gens agir de manière aberrante sous l'influence de l'alcool et des psychotropes. Mais la plupart de ces comportements insensés disparaissent généralement d'eux-mêmes avec la pratique de la recouvrance, au grand étonnement de plusieurs personnes. Par contre, il m'est aussi arrivé de constater que les affres du sevrage perturbent énormément certains individus au point de vivre une décompensation, c'est-à-dire que, émotionnellement, l'individu s'écroule.

J'oblige mes clients à fréquenter les réunions des Douze Étapes. Les récalcitrants ont environ six semaines pour se faire à l'idée que cela fait obligatoirement partie de la thérapie. Au cours de cette période, j'essaie surtout d'aider mes clients à surmonter leur répugnance des mouvements anonymes. À ceux qui hésitent, je dis : « Il n'est pas nécessaire d'aimer ça au début. Je vous aiderai à comprendre ce qui se passe dans une réunion. Mais il faut que vous preniez l'habitude de vous y rendre régulièrement si vous voulez que l'on continue à travailler ensemble. » Trop de gens rechutent sans le mode de vie du programme de recouvrance. Je ne peux tout simplement plus supporter de les voir rechuter, ça m'est trop pénible. Al-Anon m'aide à pratiquer une certaine forme de détachement émotionnel, mais je n'ai pas le temps d'augmenter le nombre de réunions auxquelles j'assiste présentement.

La plupart des gens qui entreprennent une thérapie pour un problème de drogue consommeront encore au cours de la première année. J'assume cependant que chacun de mes nouveaux clients deviendra abstinent et le restera s'il fréquente les réunions anonymes, s'il ne consomme pas et s'il se penche sur les problèmes qu'il évite depuis des années. La plupart des gens que j'ai interviewés pour ce livre tiennent tous le même discours : quand ils traversent des périodes difficiles, ils fréquentent un plus grand nombre de réunions anonymes pour y obtenir un supplément d'aide et de conseils.

Examinons maintenant les témoignages que ces gens nous ont laissés.

Désirée

Désirée a fumé de la marijuana, sa drogue de choix, pendant presque dix ans avant de connaître, à vingt-deux ans, la recouvrance grâce à Narcotiques Anonymes (NA). Le jour où je l'ai interviewée, elle était débordante de fougue, d'énergie et d'enthousiasme. Je n'arrivais pas à voir en elle la jeune *punk* entichée de musique rock qui, quelques années auparavant, arborait des cheveux verts. Il ne restait aussi plus rien de la fille inapte au travail qui, quelques mois plus tôt, fumait de la mari à longueur de journée. Très jeune, Désirée a affirmé le caractère indépendant de son tempérament. Elle n'était qu'une toute petite fille quand elle a commencé à sentir que quelque chose ne tournait pas rond dans sa famille. Ce « quelque chose » l'a profondément marquée. Elle croyait qu'elle était différente des autres. À l'école, par exemple, elle n'arrivait pas à socialiser normalement. J'ai été aussi impressionnée par son sens de la débrouillardise grâce auquel, en un tour de main, elle tirait son épingle du jeu. Je songe notamment au fait qu'elle ait résolu d'étudier à la maison plutôt que d'avoir à faire face à la vie de l'école.

Désirée paraissait étonnée des fulgurants changements qui ont pris place dans sa vie en seulement neuf mois d'abstinence. Qu'elle ait été, à son travail, choisie pour suivre des cours en management ne tient nullement du miracle. Au cours de l'entrevue qu'elle m'a accordée chez elle, le téléphone a bien dû sonner au moins quatre fois. Les appels venaient de nouveaux amis qu'elle avait rencontrés dans les réunions anonymes : tous l'invitaient pour une sortie. L'interview s'est terminée vers 21 heures 30 et nous sommes parties en même temps. Désirée voulait passer prendre un ami avec qui elle comptait aller danser dans l'un des bars de la ville. On voit bien qu'il est possible d'être jeune, de s'amuser et de vivre tout en pratiquant la recouvrance.

Désirée me narra son histoire d'une voix grave et sérieuse. Quand le téléphone sonnait par contre, le ton se faisait plus enjoué, plus aérien avec ses amis. Elle racontait à ses amis qu'on l'interviewait pour un livre qui traiterait de la dépendance à la marijuana. Elle était emballée à l'idée de contribuer à cette étude. « J'espère sincèrement que mon témoignage aidera quelqu'un », répétait-elle.

Les souvenirs de ses années d'adolescence ne sont pas très clairs. Désirée manque de rigueur dans les détails et elle doit faire de sérieux efforts pour se rappeler ce qui s'est réellement passé. Avec le temps, je pense qu'elle y verra plus clair. Ainsi, j'ai eu de la difficulté à débrouiller le va-et-vient de sa relation avec son mari et les événements qui ont suivi la séparation de ses parents. En fait, j'étais sous l'impression que tout cela s'était déroulé sur une assez longue période de temps, ce qui n'était pas le cas. Cette difficulté à fixer les faits dans le temps est sans doute attribuable au jeune âge de Désirée, mais il se pourrait également que la marijuana soit ici en cause.

Les débordements d'enthousiasme et d'énergie dont témoigne Désirée m'indiquent qu'elle est au cœur du « nuage rose » si caractéristique des débuts de la recouvrance. Ses journées sont bien remplies : réunions anonymes, travail, rencontres avec copains, sorties de groupe — et tout cela à un rythme qui m'a semblé fiévreux. Règle générale, les gens qui entrent en recouvrance adoptent l'une ou l'autre des attitudes extrêmes suivantes : ils se replient dans leur isolement ou ils se lancent follement dans la mêlée. La recouvrance ne trouve à s'épanouir pleinement qu'à long terme, lorsque la personne a appris à faire preuve d'équilibre dans sa vie. Se cantonner dans l'un des deux extrêmes, c'est risquer la rechute. À l'époque où je l'ai interviewée, Désirée n'était pas très critique : désireuse de bien paraître, elle récitait comme un perroquet les leçons apprises dans les réunions anonymes. Cependant, avec le temps, il y a fort à parier qu'elle changera d'attitude. Elle prendra le temps de ralentir et de méditer plus sur les conseils qu'on lui donnera et tirera elle-même ses propres leçons — et c'est en profondeur que les choses changeront dans sa vie. Aujourd'hui, Désirée commence à peine à se rétablir ; elle se contente de faire ce qu'il faut pour ne plus consommer et pour vivre la recouvrance un jour à la fois. L'ouverture d'esprit, la paix et la sérénité ne tarderont pas à venir.

Justin

Justin est abstinent et en recouvrance continue depuis un an. (Après deux ans et presque trois mois d'abstinence, Justin a rechuté en fumant un joint, un seul.) Son témoignage nous intéresse de deux manières : il présente le cas d'un dépendant qui ne fréquente pas beaucoup les réunions anonymes et il n'a pas encore touché, à proprement parler, la dimension spirituelle de la recouvrance. Comparez, par exemple, le scepticisme de Justin à l'enthousiasme de ceux et celles qui essaient d'appliquer avec plus d'efforts les principes dont on parle dans les réunions anonymes. Pragmatique, Justin a répondu à mes questions en évitant la réflexion sur soi et l'analyse. Outre le fait qu'il n'est pas encore très porté à l'introspection, j'ai cru déceler chez lui un certain malaise face à certaines émotions. Justin n'a pas encore le réflexe d'intégrer les outils du programme dans sa vie. Il se dit inquiet du fait qu'il n'a travaillé que les Étapes un à six. Ce qui est parfaitement justifiable : dans les réunions anonymes, on dit que la rechute guette celui ou celle qui néglige d'approfondir les Étapes. Il faut dire que Justin est encore très jeune. Il avait dix-huit ans quand je l'ai interviewé ; il avait déjà trois ans d'abstinence. Nul doute qu'il chemine dans la bonne voie.

Regardons le côté positif des choses. D'une part, Justin est heureux et il a plus confiance en lui. Je crois que sa récente rechute l'a mis en contact avec une partie de lui-même qu'il ne connaissait pas. Justin a, cependant, encore beaucoup à apprendre. Il dit, par exemple, qu'il s'est beaucoup rapproché de ses parents. Pourquoi alors leur cacher sa rechute ? A-t-il peur qu'ils soient déçus de lui ? Redoute-t-il leur colère ou leur peur ? Son silence rappelle le masque mensonger derrière lequel il se cachait à l'époque où il consommait. Mais tout va quand même bien aujourd'hui dans sa vie ; il ne consomme pas et assiste de temps en temps à des réunions anonymes.

Justin avoue, d'autre part, qu'il n'a pas beaucoup de contacts avec sa Puissance supérieure. Mais le fait qu'il soit resté quelque trois ans et demi abstinent n'est-il pas la preuve qu'une Puissance supérieure agit dans sa vie ? Quand on songe à l'ascendant que la mari exerçait sur ce jeune, quand on songe à quel point il a dû être pénible d'être un des seuls à ne pas consommer à son école, quand on réalise enfin que Justin a, contre vents et marées, réussi à rester trois ans et demi abstinent, exception faite de sa rechute d'un jour, on ne peut que confirmer que si Justin se tournait plus souvent vers sa Puissance supérieure, sa qualité de vie n'en serait qu'améliorée. Il faut plutôt l'encourager à cultiver davantage cette relation qui rehausse considérablement sa qualité de vie. J'espère que Justin prendra le temps de travailler en profondeur l'ensemble des Étapes. Il disposera alors de la gamme complète des outils pour cheminer vers une pleine recouvrance.

Hubert

Deux semaines avant l'interview, Hubert célébrait son premier anniversaire d'abstinence. À l'instar de plusieurs des témoignages de ce livre, Hubert avoue d'emblée qu'il s'est adonné à la mari pour lutter contre la solitude et l'isolement. S'il parle avec fougue et passion de l'expérience de sa recouvrance, on sent que sa pensée est encore floue et confuse. Il ne sait trop quel rapport établir, par exemple, entre sa consommation de marijuana et « les fantômes du passé » (expression qui, en recouvrance, désigne les conséquences négatives d'un jugement faible et de pensées troubles).

Des années d'abstinence sont parfois nécessaires, semble-t-il, pour que le cerveau efface toute trace de marijuana et qu'ainsi les souvenirs puissent refaire surface. Avant que ne soient restaurées dans son intégrité la logique du raisonnement et l'intégrité de la pensée, il faut que le cerveau rétablisse les connections synaptiques endommagées par la consommation de drogue, opération qui peut prendre, dit-on, plusieurs années. Hubert, qui a fumé régulièrement de la mari pendant longtemps, ne semble pas avoir une vision très claire de l'étendue des dommages reliés à sa consommation. Mais il serait irréaliste de s'attendre à ce qu'un fumeur de mari, en recouvrance depuis un an seulement, ait les idées claires sur toute la ligne ! Hubert ne se préoccupe pas d'expliquer pourquoi le réputé membre du barreau qu'il était a consommé quotidiennement une substance illégale pendant vingt-cinq ans. Il ne voit pas encore comment la mari a altéré sa capacité de juger sainement d'une situation et comment elle pourrait être à l'origine de ses échecs professionnels. J'ai été étonnée de constater que Hubert ignorait que le principe actif de la mari reste dans l'organisme pendant au moins une année ; ou encore que la mari qu'il fumait, aux derniers temps de sa consommation, était au moins deux cents fois plus toxique que celle qu'il consommait à ses débuts de fumeur.

Hubert est un membre AA convaincu et pourtant, il lui arrive encore de se laisser tenter par la drogue ; par exemple, quand il se dit : « Est-ce que je vivrais plus intensément ce moment, si je fumais un peu de mari, maintenant ? » Si Hubert arrive à se défaire des réserves qu'il entretient vis-à-vis de la Première Étape — admettre que l'on est impuissant devant cette maladie, que l'on a perdu la maîtrise de sa vie — il va certainement s'en tirer. Il ne doit pas s'éloigner du programme et il doit cultiver les liens qu'il entretient avec son parrain et sa Puissance supérieure. Hubert a quand même le mérite d'être conscient de ce que l'on dit au sujet de l'influence que la maladie exerce sur la pensée — ce qui n'est pas donné à tout le monde. Il prend son rétablissement très au sérieux parce qu'il sait reconnaître tout ce que lui a apporté le nouveau mode de vie qu'il pratique à travers divers mouvements. Il ne fait pas de doute que sa conscience de la maladie et son désir de persévérer militent en sa faveur.

À l'instar de Désirée, Hubert a quelque chose d'agité et de fébrile. Mon expérience d'intervenante en toxicomanie me permet d'identifier facilement ceux et celles qui ont consommé au cours des vingt-quatre heures précédant notre rencontre. Les signes ne mentent pas : le souffle court, la nervosité, le manque de suite dans les idées, la précipitation dans l'élocution, le ton sarcastique ou ironique. C'est un peu l'impression que m'ont faite Désirée et Hubert, mais à un degré beaucoup moindre. Je reconnais dans leur attitude la fièvre propre au « nuage rose » des débuts de l'abstinence. Tout se passe comme si les sujets essayaient de se convaincre que le cheminement en recouvrance constitue la solution à tous leurs problèmes. Cette fébrilité qui nourrit leur enthousiasme leur donne la force de tenir le coup et d'expérimenter de nouveau des comportements sans drogue avec lesquels ils n'étaient pas à l'aise au début. Leur entrain leur est très utile. N'oublions pas qu'un dépendant est naturellement porté sur la consommation, pas sur l'abstinence.

Mais s'il persévère dans l'abstinence, un dépendant connaîtra, comme par magie, la sérénité. L'expérience, au début, a quelque chose de furtif : la sérénité disparaît au bout de quelques instants. Peu à peu, cependant, ces quelques instants se transforment en heures, en jours, en semaines et même en mois entiers. La sérénité est l'un des « cadeaux » du mode de vie des AA. Il faut simplement suivre le mode d'emploi que constituent les Douze Étapes de la recouvrance.

Aman

Le jeune Aman avait honte de ses origines. Le fait qu'il était membre d'une minorité ethnique l'a beaucoup perturbé. En reniant la culture des siens, Aman se coupa de ses racines et eut l'impression de vivre en exclu. Ce sentiment ne l'a quitté que le jour où, pour la première fois, il a fumé de la mari. La drogue lui a aussitôt fait croire qu'il avait enfin trouvé une terre d'accueil, que sa quête d'identité allait incessamment prendre fin, que ses aspirations seraient bientôt comblées. Au bout de deux ans, cependant, son rêve s'était transformé en un cauchemar qui a cessé le jour où Aman est entré en désintoxication.

La lecture du témoignage de Aman montre à quel point sa vie se démarque de celle de Désirée et de

Hubert. Les quelques années où il a été membre des AA ont porté fruit. Sa vie connaît une certaine forme de stabilité et il semble heureux de son sort. Aman exprime à plusieurs reprises sa gratitude envers le programme et c'est sur une base quotidienne qu'il laisse les préceptes des Étapes guider son action. Aman a très bien assimilé les principes de la recouvrance. Au début, il a donné beaucoup de son temps dans les réunions où les AA lui ont appris que c'est en donnant ce que l'on a reçu qu'on le conserve. Aujourd'hui, il continue d'appliquer ce principe en donnant de son temps pour aider les autres étudiants qui ont des difficultés d'apprentissage. Aman a cessé de rêver sa vie et a commencé à vivre ses rêves — il est passé à l'action comme le suppose la recouvrance. Pour rester abstinent d'alcool et de toute drogue et pour faire échec à la rechute, un dépendant en recouvrance doit renouveler complètement son échelle des valeurs.

Cependant, il est important que Aman n'oublie pas que ce n'est pas parce qu'une personne en recouvrance n'a rien consommé pendant un certain temps qu'elle est guérie. La rechute n'est jamais loin, quand on a affaire à la dépendance (à la mari comme aux autres drogues), une maladie chronique, progressive et, trop souvent, mortelle. J'ai entendu beaucoup de gens qui, même après vingt ans de recouvrance, disaient : « Quotidiennement, il faut que je me rappelle de prier pour dire merci d'avoir reçu la grâce d'être abstinent aujourd'hui et pour demander à Dieu la force de persévérer dans cette voie. » Le secret pour rester sobre ? Admettre que l'on est impuissant devant toutes les substances qui altèrent le comportement, entretenir une solide relation avec une Puissance plus grande que nous-mêmes, faire preuve d'honnêteté dans tout ce que l'on entreprend, demander de l'aide quand on en a besoin et cultiver l'humilité. À titre de thérapeute, j'ai constaté que les gens réussissent leur recouvrance s'ils ont intégré ces préceptes au cœur de leur vie. Vivre abstinent de longues années et connaître la sérénité suppose, en effet, que l'on a appris à appliquer les préceptes des Douze Étapes dans tous les domaines de sa vie. Puisse Aman connaître un jour un tel succès.

Daniel

Des interviews que j'ai menées pour le présent ouvrage, celle avec Daniel aura été la plus cérébrale de toutes. Daniel est convaincu que le mode de vie des AA ainsi que les principes de la recouvrance contribuent à améliorer, encore aujourd'hui, sa qualité de vie. Mais des années de déni et l'immense emprise qu'a exercée la marijuana sur son jugement l'ont solidement ébranlé. De fait, il est encore aujourd'hui surpris et terrifié. À trois reprises dans son témoignage, Daniel affirme que la marijuana est une drogue insidieuse qui affaiblit sérieusement notre capacité de penser et d'agir. L'ennui est qu'il faut renoncer à la mari pendant plusieurs années avant de s'en rendre pleinement compte. Cette vérité est l'essentiel du message qu'il voulait partager avec les autres. Daniel a aussi montré beaucoup de colère envers les défenseurs de la marijuana qui n'ont pas l'honnêteté de présenter une image plus exacte de la marijuana.

On ne peut que remarquer, quand on lit le témoignage de Daniel, l'importance de l'éthique du travail que lui a inculquée sa famille et, plus particulièrement, sa mère. Non seulement on lui a appris qu'il faut « travailler », et même « travailler très dur », pour réussir dans la vie, mais encore on l'a convaincu qu'il faut « travailler très dur pour prouver qu'on est quelqu'un ». Ce n'est donc pas un hasard si la renommée a souri au jeune et ambitieux médecin qu'il était. Partout on le considérait et on le considère encore aujourd'hui comme une sommité. Mais quel prix Daniel a-t-il été obligé de payer pour « prouver qu'il était quelqu'un » !

Daniel et Hubert ont pris les mêmes risques. Tous deux jouaient leur réputation professionnelle chaque fois qu'ils allumaient un *joint* ou une pipée de mari. Tous deux ont dit que le fait de fumer de la mari faisait très in « dans l'temps ». Le problème est que « dans l'temps » a fini par devenir « tout l'temps », si bien qu'ils fumaient encore de la mari à l'époque où ils avaient depuis belle lurette réussi dans leur carrière. C'est un bel exemple de la puissance du déni ! Bel exemple de la puissance de la mari !

Daniel a eu un petit rire quand il s'est rappelé l'époque de ses premières réunions, alors qu'il trouvait ridicule les gens chez les AA qui disaient être des alcooliques ou des toxicomanes pleins de gratitude. Six ans se sont écoulés depuis et Daniel a, depuis longtemps, rejoint les rangs de ceux qu'il raillait. Il va même jusqu'à chanter les vertus du mode de vie de la recouvrance et des liens d'entraide qu'elle lui a permis de tisser. Ce sont eux qui le soutiennent aujourd'hui, qui l'aident à tenir émotionnellement le coup à travers les rapports tumultueux caractérisant la relation qu'il entretient avec sa fille. Il me disait, lors de l'entrevue : « Sans ce mode de vie, je serais en train de consommer. Avec le programme, je vis un jour à la fois en me répétant que Dieu ne nous éprouve pas au-delà de nos capacités. Il m'est arrivé de

pleurer quelques fois au cours d'une réunion anonyme —
mes frontières ne sont pas encore très claires actuellement, mais je ne consomme pas et je ne déroge pas de
mon programme. » Daniel a tout ce qu'il faut pour se sortir lui-même de ce mauvais pas.

Le jour où il est entré dans les AA, Daniel troqua
son renom d'expert médical pour celui d'un dépendant
en recouvrance. Il a d'ailleurs lui-même dit que ce fut un
soulagement d'oublier son prestige professionnel. Il lui
importe seulement qu'on reconnaisse en lui le « dépendant qui a besoin d'aide ». C'est une chance qu'il ait réussi
à admettre humblement et sans réserve sa maladie. N'eût
été de son honnêteté, il serait sans doute aujourd'hui en
train de consommer de la marijuana.

Gaël

Je connaissais Gaël de réputation, mais je ne l'avais
jamais entendu témoigner de son vécu. Ce livre m'en a
donné l'occasion. Gaël raconta d'une manière saisissante
le long épisode de son existence où il a vécu avec la drogue dans un autre monde. J'ai été bouleversée à l'idée de
tout ce temps perdu et tout ce talent gaspillé. Je songeais
avec tristesse à ses enfants disparus. Et tout ça pour dé-
fendre l'idéal d'une époque révolue. Quand je l'ai interviewé, Gaël avait dix ans d'abstinence, mais il considérait
qu'il ne s'était libéré de l'influence de la drogue que le
jour où, il y a six ans, il est entré dans les AA.

Vers la fin de l'entrevue, je lui ai dit : « Gaël, je ne
voudrais pas vous blesser, mais il me semble que vous

minimisez l'influence de la mari dans votre vie et toute la souffrance qui en découle. » « Que voulez-vous dire ? », a-t-il répondu. « Eh bien, en tant que thérapeute, je constate que vous avez en quelque sorte " perdu " au moins les huit dernières années de votre vie, sans compter le fait que vous avez aussi " perdu " votre famille. À ce chapitre, votre perte familiale est d'ailleurs double : votre femme vous a quitté en emmenant les enfants vivre dans une région tellement éloignée qu'il vous était pratiquement impossible de les visiter et, à l'époque où vous viviez avec eux, vous étiez tout le temps *gelé,* c'est-à-dire que vous n'étiez pas vraiment à l'écoute de leurs besoins. »

Au début, Gaël répétait que Nadine l'avait quitté parce qu'il avait recommencé à fumer la cigarette. « Un peu de réalisme, s'il vous plaît », lui ai-je fait remarquer. « Croyez-vous sérieusement que l'habitude de la cigarette est une raison suffisante pour divorcer ? Si j'étais vous, je regarderais plutôt du côté de ces années débiles où, constamment sous l'effet de la mari, vous n'arriviez pas à fonctionner normalement. »

« Hum, dit-il, il faudrait que je repense à tout ça. Je n'avais jamais envisagé les choses sous cet angle. N'est-ce pas incroyable ? Avoir tant de temps d'abstinence et manquer à ce point de réalisme quand on se penche sur son passé ! Je vous remercie. Laissez-moi réfléchir. Nous en reparlerons. » Une semaine plus tard, Gaël me remerciait pour ces conseils à peu près en ces termes : « Qu'en dites-vous ? Est-ce que ça ne prouve pas que j'avais raison ? La drogue a quelque chose de dangereusement insidieux. En toute honnêteté, j'avoue que je n'accordais pas beaucoup d'importance à ma consommation de marijuana. C'est avec l'alcool que j'ai connu mes pires " bas-fonds ". Aujourd'hui, j'ai appris que la mari n'a pas été

sans incidence sur la folie et la souffrance que j'ai connues. Vous aviez raison d'affirmer que j'ai " perdu " ma
famille et une bonne partie de ma vie. Il faut d'ailleurs
que je réfléchisse encore à cette question. J'aime ces prises de conscience qui me viennent encore. Elles mettent
parfois du temps à venir, mais je me console en pensant
que je n'aurais jamais été capable de me regarder tel que
je suis aujourd'hui si je n'avais pas cessé de consommer
de la mari. »

La marijuana déforme la réalité, notre capacité de
juger et de décider sainement. Le témoignage de Gaël
est d'ailleurs éloquent à ce sujet. Gaël est un homme in-
telligent qui a passé une bonne partie de son enfance à
lire des ouvrages scientifiques et à mener des expériences de toutes sortes. C'était, à n'en pas douter, un garçon
qui avait un réel talent et qui était capable de raisonner
normalement, mais la mari est entrée dans sa vie : sa
curiosité et ses talents naturels ont été mis de côté. Sa
curiosité naturelle s'est peu à peu émoussée et Gaël a fini
par tout laisser tomber. Un examen rétrospectif montre
que certaines des décisions qu'il a prises du temps de sa
consommation péchaient contre le bon sens. Gaël a un
jour résolu de changer la face du monde et il croyait dur
comme fer qu'il allait y parvenir. Se serait-il engagé dans
cette voie s'il n'avait pas vécu tant de temps sous l'emprise de la drogue et de l'alcool.

Quelques faits de la vie de Gaël illustrent comment
la mari altère la capacité de juger avec réalisme d'une
situation donnée. Gaël a émigré avec sa famille en Europe tout de suite après avoir reçu son diplôme d'études
universitaires. Il avait l'absolue conviction que les États-
Unis étaient au bord de la guerre civile. Était-il raisonnable de penser ainsi ? Gaël était sur le point de rompre

avec Nadine quand elle est tombée enceinte. Incapables de réunir la somme nécessaire à un avortement, ils dépensent le petit montant qu'ils avaient amassé pour aller se marier au Mexique ! Nadine a fumé de la marijuana tout le temps qu'a duré sa grossesse. Son enfant subit aujourd'hui les malheureuses conséquences de son inconscience. Gaël qualifie de « magiques » les années passées dans une commune de la Côte Ouest. Mais qu'y a-t-il de « magique » dans le fait de perdre sa famille, de consommer tout le temps et de vivre complètement déconnecté de la réalité ? Gaël croyait faire partie d'un mouvement qui, disait-il, allait changer le monde ; mais au fond, le monde dont il parlait n'existait que dans son imagination. À l'époque où il œuvrait à Santa Cruz, au sein d'un organisme communautaire « éclairé », Gaël était payé pour un travail auquel il se dérobait constamment. Il n'a jamais pris vraiment conscience qu'il abusait de la générosité de ces gens. Curieusement, il ne s'en est même jamais formalisé. Il disait apprécier le fait qu'on le laissait libre de son temps pour ne pas nuire à l'expression de sa créativité. En réalité, il ne foutait pratiquement rien. Gaël savait depuis quelques années que la mari était dommageable pour la santé. Pourtant, ni les palpitations cardiaques ni les crises d'angoisse ne l'ont convaincu de renoncer à son habitude.

À l'instar de Daniel, Gaël a perdu son père très jeune. Il n'est pas toujours facile, sur le plan émotionnel, d'être adolescent. Il faut se plier à toutes sortes de normes et subir d'énormes pressions de la part de l'entourage. On est perpétuellement confrontés à soi-même ou aux autres qui vous exhortent « à faire vos preuves ». La douleur de voir l'un de ses parents mourir est tellement grande qu'il est normal pour un adolescent (un adulte aussi d'ailleurs) de souhaiter que la souffrance diminue ou disparaisse complètement. À combien de veufs et veuves n'a-t-on pas prescrit un peu de Valium au cours des funérailles pour les aider à surmonter la douleur, la tension, ou tout simplement pour les aider à dormir et à fonctionner. Un ado raisonne ainsi : « Pour arrêter de souffrir, les adultes se tournent vers l'alcool ou les prescriptions des médecins. Moi je trouve que la mari me réussit. Alors pourquoi changer ? » Ce refus systématique d'éviter tout stress émotionnel est passé dans la mentalité où plus personne n'accepte de souffrir : « Allez, prends un peu de ceci. Ça te fera du bien. »

Je crois que Daniel et Gaël ont été victimes de cette philosophie. À l'époque où ils ont découvert la drogue, la marijuana était à la portée de tous. Il était normal qu'ils se tournent vers quelque chose d'extérieur à eux pour soulager leur souffrance et pour mieux supporter la douleur que leur occasionnait la perte d'un être cher. Ils auraient pu consulter un thérapeute, mais ils ont choisi de consommer de la marijuana.

Élise

Élise a été ma cliente pendant cinq ans. Quand je l'ai interviewée pour ce livre, je pensais avoir affaire à une femme que je connaissais très bien. En fait, certains de ses propos m'ont étonnée. Trois années s'étaient écoulées depuis notre dernière rencontre, trois années au cours desquelles Élise a beaucoup évolué à en juger par la profondeur et la pertinence de sa réflexion sur son expérience de la dépendance. Plusieurs souvenirs lui étaient revenus en mémoire et elle était parvenue à reconstituer des pans entiers de sa vie. Après l'interview, nous avons échangé quelques impressions. Élise m'a confié que, à l'époque où elle avait commencé à travailler avec moi les problèmes de la prime enfance, elle était encore trop intoxiquée à la marijuana pour discuter honnêtement de ces problèmes. Il y avait trop de trous dans sa mémoire, elle n'avait que des fragments de souvenirs. Élise disait avoir omis de me communiquer un tas d'anecdotes qu'elle avait jugées dépourvues d'intérêt à l'époque. De fait, au cours de l'interview, j'ai entendu beaucoup de souvenirs dont il n'avait jamais été question à l'époque où je la voyais en thérapie.

Élise est née avec des handicaps physiques qui l'auraient empêchée de se développer normalement, n'eût été de la vigilance de ses parents qui la confièrent aux soins de spécialistes. Soutenue par la détermination de ses parents et la sienne propre, elle a lutté farouchement toute son enfance contre une série de handicaps qu'elle a presque tous surmontés. Mais ce combat a laissé des marques : Élise se pensait une personne spéciale, différente, « meilleure » que les autres, un sentiment que son éducation familiale a considérablement renforcé avec les années.

Dès ses premiers contacts avec la marijuana, Élise a eu l'impression d'être libérée d'un poids et d'appartenir à un groupe. Vingt ans plus tard, elle était tellement intoxiquée qu'elle n'arrivait même plus à se rappeler la raison pour laquelle elle avait programmé la sonnerie de sa montre. Peu après, elle s'est rendu compte qu'elle était sur le point d'abuser physiquement de ses enfants. En entrant en recouvrance, Élise évita de justesse la catastrophe. Il faut dire qu'elle s'est battue longtemps et très fort pour « récupérer » les vingt années où elle était *gelée*. Sa profonde sérénité, après sept années de recouvrance, est un merveilleux exemple que les promesses des AA finissent toujours par se réaliser.

Philippe

Ça faisait cinq ans que je n'avais pas revu Philippe quand je l'ai interviewé. Cet entretien m'a remis en mémoire un tas de vieux souvenirs et m'a mise au fait de ce qu'il était devenu. Je lui ai rappelé quelques détails piquants de nos premières sessions de thérapie, puisqu'il semblait avoir oublié presque tout. Après l'interview, nos échanges ont pris une tournure moins formelle.

L'enfance de Philippe fut très complexe : un jour dans le nord, le lendemain dans le sud ; un jour chez les riches, le lendemain sans argent ; un jour aux États-Unis, le lendemain en Europe. Il apparaît très clairement que l'échelle de valeurs de Philippe a radicalement changé le jour où il a commencé à fumer de la mari — dès l'instant, en fait, où il s'est mis à *triper*. Si on exclut la période où il a travaillé en Allemagne et où il a développé un sentiment d'appartenance à son groupe d'amis, il semble que Philippe ne se soit jamais senti bien dans sa peau. Ce n'est qu'en recouvrance que les choses ont commencé à s'améliorer. On conviendra aisément que Philippe a passé un bon bout de temps en purgatoire.

Philippe me raconta qu'il n'aimait ni le goût ni l'effet subséquent de l'alcool, ce qui ne l'a pas empêché de boire et de se soûler. Son histoire m'a encore une fois rappelé la toute-puissance de la maladie. Sur le plan émotionnel, Philippe a vécu pendant dix ans les affres de la consommation. Il pleurait toutes les fins de semaine. Pourtant, il n'a jamais pu s'expliquer la cause du mal-être qui prenait son origine dans son besoin de consommer (alcool, marijuana et, parfois, cocaïne) pour « conserver son équilibre ».

Le témoignage de Philippe illustre parfaitement à quel point il est difficile de se rétablir de la maladie de la dépendance. Je sais pertinemment qu'il a mis beaucoup d'efforts dans sa recouvrance. Pourtant, Philippe lutte encore contre les mêmes problèmes qu'il y a cinq ans. Il a tendance à « fuir » dans le travail, il a beaucoup de difficulté à se détendre en soirée et il n'est toujours pas convaincu qu'il mérite le confort qu'il peut se permettre aujourd'hui.

J'ai trouvé particulièrement émouvant la manière dont il témoigne de son bonheur d'être père. Le fait que cet homme s'occupe de pourvoir aux besoins et d'accéder aux désirs de son enfant est très gratifiant. Il aide son fils à se développer et son fils, en retour, l'aide à développer sa spiritualité. Philippe a ici rompu avec le modèle de l'absence émotionnelle, caractéristique de l'éducation qu'il a reçue. C'est bon signe.

Plusieurs mettent beaucoup d'efforts continus dans certains domaines de la recouvrance au cours des années, mais les progrès accomplis ne semblent pas toujours significatifs. Il est donc fréquent que ces gens deviennent dépressifs. À l'instar de la dépendance, la dépression résulte aussi d'un déséquilibre biochimique du métabolisme. Les médicaments peuvent ici être d'un précieux secours. J'ai recommandé à Philippe d'en discuter avec son thérapeute. Il m'a répondu que celui-ci lui en avait déjà fait la suggestion, mais qu'il hésitait. « Je suis un dépendant », disait-il, « il vaut mieux que je me tienne loin des pilules parce que j'ai peur de ne plus être capable de m'en passer. » Pourtant, les antidépresseurs qui sont prescrits aujourd'hui n'engendrent pas d'accoutumance et ils n'ont rien à voir avec les « pilules de bonheur » *(uppers)* qu'on prescrivait autrefois. Ils agissent sur la chimie du cerveau de manière à l'équilibrer : ils clarifient la vision de la vie et soulagent du poids qui appesantit le quotidien. L'action des antidépresseurs libère l'énergie psychique des contraintes qui obscurcissent le processus décisionnel et paralysent la capacité d'agir. Souvent, un traitement d'environ six mois suffit. Quand l'équilibre biochimique du cerveau est restauré, la personne peut cesser la médication et fonctionner normalement.

Magali

Magali avait douze ans de sobriété quand je l'ai interviewée. Des élans d'enthousiasme et de reconnaissance ponctuaient son discours qui exprimait la gratitude qu'elle éprouvait pour tout ce que la recouvrance lui avait apporté. J'ai été étonnée de l'humilité dont elle a témoigné. Elle considérait que c'était un « miracle », un « cadeau » de la recouvrance d'être restée abstinente pendant douze ans. Après l'interview, nous avons continué à bavarder. Magali m'a confié : « Ça fait maintenant des années que je n'ai rien fait dont je pourrais avoir honte. Aujourd'hui, quand quelqu'un m'interpelle, je n'ai plus peur. Avant, j'aurais voulu me fondre dans le paysage, j'avais toujours l'impression d'avoir mal agi. C'est tellement mieux, maintenant ! »

Magali jetait un regard plein de compassion sur son passé. Elle ne méprisait ni ne regrettait les jours anciens. Elle n'a pas voulu blâmer des gens parce que, disait-elle, elle avait « dépassé le stade du blâme ». « Je suis consciente de ne pas toujours avoir fait les bons choix, et ce, plus particulièrement dans le domaine des relations affectives. Mais je sais maintenant que ce n'étaient que des mauvais choix. Avant, je passais mon temps à maudire les " mécréants " qui m'avaient " royalement dupée ". Que voulez-vous, les " abrutis " que j'ai fréquentés avaient presque tous le même problème que moi. Je m'arrangeais pour m'acoquiner avec des types qui consommaient plus que moi, question de me déculpabiliser. Pourquoi en faire un plat, maintenant ? C'est du passé, c'est fini. J'ai rompu avec mon ancienne vie. Ce que je vis présentement a tellement plus d'importance à mes yeux. »

Il semble que Magali ait adopté à la lettre l'un des préceptes des AA : « vivre un jour à la fois », au moment présent, plutôt que de s'appesantir sur le passé ou s'inquiéter pour le futur. Lorsque je lui en ai fait la remarque, Magali m'a répondu avec la franchise que je lui connaissais : « C'est à peu près cela, mais je dois dire qu'il y a des jours où tout n'est pas aussi limpide. Chez les AA, on n'essaie pas d'être parfait, on veut juste évoluer. » Magali m'a fait l'effet d'une personne spontanée, enthousiaste, spirituelle, déterminée et courageuse. Elle m'a confié qu'elle comptait bien s'abandonner à de plus longs moments de sérénité que la vie avait en réserve à son intention.

Il est évident que Magali a largement profité des leçons des AA. Quand elle a réalisé qu'elle était impuissante à guérir seule les blessures physiologiques et émotionnelles que lui avaient occasionnées toutes ses années de dépendance active, elle s'est résignée à prendre des médicaments. Elle est restée plutôt discrète sur ce chapitre, mais je sais qu'il lui a été particulièrement difficile de reconnaître que le mode de vie sur lequel elle pouvait compter, et qui était si efficace pour lutter contre la dépendance, était impuissant face au mal qui l'affectait. Magali a dû « ravaler son orgueil » et faire confiance à la médecine occidentale. Magali peut maintenant aller de l'avant et « habiter de nouveau son propre corps ».

Judith

De toutes les personnes qui ont témoigné dans ce livre, Judith est celle qui a le plus grand nombre d'années d'abstinence. Pendant longtemps, Judith « s'est entièrement dévouée au mouvement des AA » qui a complètement changé sa vie. Au cours de l'entrevue, j'ai relevé, non sans étonnement, un comportement qui semblait récurrent chez elle : elle savait qu'elle avait un problème d'alcool — elle a même essayé d'arrêter de boire à plusieurs reprises. Pourtant elle n'a jamais pu s'empêcher de retourner, de son propre chef, dans l'enfer d'une consommation excessive. Elle a aussi de nouveau mentionné le fait qu'elle a longtemps considéré que la marijuana n'était pas une drogue et un problème dans sa vie. Fumer faisait simplement partie de la routine du quotidien, comme manger et dormir. Judith a pourtant lutté contre la paranoïa pendant trois ans avant de renoncer à son habitude et elle n'a connu aucune crise depuis. Le déni de Judith est plutôt révélateur de la puissance de la marijuana, non ? Sous l'emprise de cette drogue, n'a-t-elle pas vu ses perceptions faussées, son jugement altéré, son pouvoir décisionnel affaibli ? Tout ça a changé maintenant. Au cours de l'entrevue, Judith m'a confié : « Vous savez, il m'arrive parfois de considérer avec dédain la vie que je menais autrefois par comparaison à celle d'aujourd'hui. Vraiment, à l'époque, je passais mon temps à formuler des commentaires désobligeants sur tout. Mais aujourd'hui, j'adore la vie que je mène. » La recouvrance lui aura permis de sortir de la prison dans laquelle la drogue l'avait enfermée pour devenir quelqu'un d'authentique, c'est-à-dire la personne qu'elle a toujours rêvé d'être.

Judith a mis beaucoup de temps à admettre qu'elle était impuissante à surmonter la dépression dont elle souffrait, le déséquilibre biochimique de son cerveau, en fait. N'est-il pas significatif qu'à l'instar de Magali, Judith n'a consenti à prendre des antidépresseurs qu'après plusieurs années d'abstinence ? Il leur aura fallu admettre qu'elles étaient impuissantes à lutter contre leur dépression, comme elles l'avaient été à combattre leur dépendance. Le jour où elles ont accepté que la dépression était une maladie, elles ont aussi compris qu'elles n'en étaient pas responsables, qu'elles n'avaient pas la possibilité d'en contrôler la progression, qu'elles ne pouvaient pas recouvrer la santé par leurs propres moyens. Toutes deux ont d'ailleurs avoué qu'il leur a d'abord fallu « ravaler » leur orgueil avant de passer à l'action. Toutes deux ont également avoué que les médicaments prescrits avaient été d'une aide précieuse dans le processus de guérison. De retour à la normale, elles ont pu se remettre au mode de vie de la recouvrance et s'attaquer aux « vieux démons » de la consommation.

La recouvrance aidant, la réalité change de visage. Le quotidien n'a plus le même sens quand on cesse de se mentir, et de mentir aux autres en disant « tout va bien », alors que tout s'écroule autour de soi. Avec l'abstinence, la mémoire s'améliore et l'opinion que l'on a de soi évolue. Quand la réalité est libérée de l'emprise de la drogue, on commence à voir les comportements qui contredisent nos aspirations les plus profondes, comportements que l'on a si désespérément voulu ignorer. Cette expérience a quelque chose de merveilleux, d'affolant, de libérateur, d'embarrassant et de bouleversant. Les Douze Étapes des AA, les réunions anonymes, un parrain ou une marraine, un ou une thérapeute d'expérience sont autant d'outils qui peuvent aider à affronter l'émergence d'une réalité que la drogue dérobe à nos regards.

Conclusion

Les textes qui précèdent font état des témoignages de personnes ayant entre neuf mois et quinze ans d'abstinence. Le vécu de ces personnes montre clairement que la recouvrance a le pouvoir de changer radicalement la vie de ceux et celles qui la pratiquent. Pendant des années, ces gens se sont sentis seuls et exclus. Aujourd'hui, grâce à la recouvrance, ils sont heureux et vivent sans le poids de la solitude et du rejet. Ils ont le sentiment qu'une Puissance supérieure s'occupe d'eux et savent qu'ils peuvent compter sur un mode de vie leur permettant d'obtenir aide et conseils, même auprès de ceux et celles qui ne fréquentent pas nécessairement les groupes anonymes.

Il ressort clairement que la marijuana n'est pas une drogue bénigne que l'on consomme sans conséquences. La possession de mari, d'une part, est illégale et peut conduire à la prison. Elle peut, d'autre part, vous faire perdre des années entières de votre vie, sans compter toute la souffrance qu'elle occasionne sur les plans émotionnel et mental. Ainsi qu'Élise l'a pertinemment fait remarquer : « Essayer de rattraper le temps perdu n'est pas une chose facile. » Mais tous ceux et celles qui ont goûté à la recouvrance sont d'accord pour affirmer que l'effort en vaut vraiment la peine. Quelle différence remarquable entre la manière de se sentir de ces personnes lors de l'interview comparativement à leur état mental aux derniers jours de leur consommation ! Quelqu'un m'a confié : « Ça s'améliore de jour en jour. » Et plusieurs autres ont avoué : « Les pires journées que j'ai connues en recouvrance n'ont jamais été aussi pénibles que mes dernières journées de consommation. »

Le plaisir que ces gens ont éprouvé au début de leur consommation et le *high* dont la drogue les gratifiait ont disparu bien avant qu'ils n'entrent en recouvrance. C'est en vain qu'ils ont, longtemps et par tous les moyens, cherché à reproduire l'ivresse initiale que leur avait procurée la drogue les premières fois qu'ils en ont consommé. Reconnaissant leur échec, ils se sont, en désespoir de cause, tournés vers la recouvrance parce qu'ils sentaient que ce problème les dépassait. Chacun ayant, à divers degrés, ses espoirs et sa foi, ils ont persévéré dans cette voie jusqu'à ce que leur vie s'améliore et qu'ils retrouvent leur joie de vivre.

Le succès de l'abstinence se résume, pourrait-on dire, ainsi :

1) admettre que l'on est impuissant devant toute substance qui altère l'esprit ;

2) entretenir une relation forte avec une Puissance plus grande que soi ;

3) faire preuve d'honnêteté dans tous les domaines de sa vie ;

4) être capable de demander de l'aide quand on en a besoin ;

5) rester humble.

Mon expérience professionnelle m'amène à constater que les gens qui essaient, chaque jour de leur vie, de mettre en pratique ces préceptes des Douze Étapes des AA arrivent à s'en sortir et à connaître le bonheur.

Ceux et celles qui, depuis plusieurs années, vivent dans l'abstinence de toute drogue connaissent aujourd'hui le sens du mot sérénité et essaient de mettre quotidiennement en pratique les Douze Étapes des AA. Cela n'implique pas nécessairement qu'ils se rendent, plusieurs fois par semaine, dans une réunion anonyme. Cela signifie tout simplement qu'ils ont assimilé les principes du mode de vie des AA et qu'ils les appliquent aujourd'hui « dans tous les domaines de leur vie ».

Avez-vous un problème avec la marijuana ?

Si vous pensez avoir un problème avec la marijuana ou si vous croyez qu'une personne de votre entourage entretient peut-être une dépendance à cette drogue, il serait important que vous vous posiez les questions suivantes :

1. Est-ce que je contrôle ma consommation ? (En d'autres termes, vous arrive-t-il de dire que vous allez en prendre juste un peu, pour vous rendre compte peu après que vous êtes, encore une fois, complètement *gelé* ? Ou encore, vous arrive-t-il de dire que vous allez vous limiter à une bière et de vous retrouver, par la suite, à fumer un *joint* ?)

2. Votre besoin de consommer a-t-il quelque chose de compulsif ? (Vous vous dites, par exemple : « Si seulement la journée peut finir, je vais me rouler un de ces *pétards !* »)

3. Est-ce que vous continuez à consommer en dépit d'effets secondaires désagréables ? (Est-ce que, par exemple, votre famille est en rogne contre vous ? Vous arrive-t-il de vous quereller fréquemment avec vos proches ? Trouvez-vous que les autres vous tapent sur les nerfs plus qu'avant ? Faites-vous preuve d'intolérance envers ceux et celles qui ne consomment pas, en pensant que vous êtes *cool* et qu'ils ne le sont pas ? Avez-vous déjà perdu un emploi à cause de la consommation ? Avez-vous l'impression que votre rendement au travail laisse à désirer ? Avez-vous

tendance à oublier vos rendez-vous et vos responsa-bilités du lundi ? Avez-vous tendance à la paranoïa ?)

Si vous avez répondu par l'affirmative à ces ques-tions, il y a fort à parier que vous avez un problème de consommation. Si vous n'en êtes pas convaincu, je vous invite à répondre au questionnaire de Marijuana Anony-mes qui figure à la page suivante.

J'aurai atteint mon but si, après avoir lu ce livre, vous avez moins peur d'affronter vos problèmes de dro-gue. Trouvez un thérapeute compétent en toxicomanie et commencez à fréquenter les réunions anonymes. Pre-nez contact avec Marijuana Anonymes ou Alcooliques Anonymes. Vous verrez, votre vie ne tardera pas à s'amé-liorer.

Douze questions pour vous aider à déterminer si la marijuana est un problème dans votre vie

Les questions suivantes figurent dans la documentation de Marijuana Anonymes. Elles vous aideront à déterminer si cette drogue est un problème dans votre vie. Si vous répondez par l'affirmative à l'une des questions suivantes, vous devriez peut-être songer à aller chercher de l'aide.

1. Est-ce que fumer de la marijuana a cessé d'être amusant ?

2. Vous arrive-t-il de consommer seul(e) ?

3. Est-ce difficile pour vous d'imaginer votre vie sans marijuana ?

4. Votre consommation de marijuana influence-t-elle le choix de vos nouveaux amis ?

5. Est-ce que vous fumez de la marijuana pour ne pas avoir à faire face à vos difficultés ?

6. Est-ce que vous croyez que la marijuana vous aide à mieux faire face à vos émotions ?

7. Est-ce que la marijuana vous enferme dans un monde clos et privé ?

8. Vous est-il arrivé d'essayer de réduire ou de contrôler votre consommation sans toutefois y arriver ?

9 Est-ce que la marijuana vous occasionne des pertes de mémoire, un manque de concentration, une baisse de motivation ?

10. Quand votre réserve de mari est presque épuisée, êtes-vous anxieux ou inquiet de ne pouvoir vous réapprovisionner ?

11. Est-ce que vous organisez votre vie en fonction de votre consommation de marijuana ?

12. Des parents ou des amis se sont-ils déjà plaints que votre consommation de marijuana nuisait à votre relation avec eux ?

Douze Étapes
vers le bonheur

Les Douze Étapes
révisées et enrichies

Bien que les Étapes soient simples, les personnes qui les travaillent sont infiniment compliquées. Dans cette édition enrichie de son *classique*, Joe Klaas décortique le langage de chaque Étape, nous expliquant les résistances que nous pouvons opposer et les erreurs que nous pouvons commettre. Chaque chapitre contient une idée explosive qui nous invite à explorer pour nous-mêmes la véritable signification de l'Étape et à réfléchir aux conséquences qu'elle aura sur nos vies.

Un guide utile pour quiconque est en voie de recouvrance (*recovery*) dans un mouvement anonyme. Les *Douze Étapes vers le bonheur* peuvent nous aider à trouver les outils pour travailler nos programmes.

Et pour ceux et celles qui aspirent seulement à une vie plus saine, dans un monde de plus en plus chaotique, ce livre des Douze Étapes les conduira à un meilleur mode de vie.

AUTEUR: JOE KLAAS
TRADUIT PAR: CLAUDE HERDHUIN
COLLECTION HAZELDEN/CHEMINEMENT
FORMAT 14 X 21,5 CM, 176 PAGES
ISBN: 2-89092-166-2

Choisir
d'être heureux

L'art de vivre sans réserve

« *J'avais l'habitude de chevaucher des carrousels d'émotions et d'états d'esprit liés aux conditions extérieures de ma vie. J'aurais ri de quiconque aurait essayé de me dire que je pouvais choisir d'être heureuse... Mais depuis, j'ai appris que vous avez toujours le pouvoir de choisir entre deux points de vue fondamentaux. Le premier perpétue vos croyances, vos attitudes et vos comportements autodestructeurs, tandis que l'autre vous aide à voir, à comprendre et à lâcher prise.* »

– Veronica Ray

Que faut-il pour être heureux? Vous dites-vous: *Je serai heureux quand...* ou *Je serais heureux si...* ? Veronica Ray vous aide à choisir le bonheur et à voir avec votre *esprit* aimant plutôt qu'avec votre *ego* défensif. Vous découvrirez de nouveaux moyens de regarder des situations passées et des moyens positifs de changer les choses que vous pouvez changer.

AUTEURE: VERONICA RAY
TRADUIT PAR: CLAIRE STEIN
COLLECTION HAZELDEN/CHEMINEMENT
FORMAT 14 X 21,5 CM, 312 PAGES
ISBN: 2-89092-223-5

La colère
et vous

Un guide pour mieux composer avec les émotions issues de l'abus de substances

Bien que nous n'aimions pas l'admettre, nous nous mettons tous en colère – parfois nous nous sentons contrariés, exaspérés, irrités, pleins de ressentiment, même enragés. La colère est une émotion humaine, normale et saine. Cependant, apprendre à la reconnaître et l'exprimer de façon appropriée est une autre histoire.

Cette édition révisée d'un best-seller sur la nature et la gestion de la colère enseigne aux lecteurs comment travailler sur la colère d'une façon positive et efficace. Cette approche rend plus facile les problèmes et les défis plutôt que de les exacerber.

De façon chaleureuse, exempte de confrontation, *La colère et vous* amène les lecteurs à découvrir la source de leur colère et les formes qu'elle prend – tels la violence, la dépression, le ressentiment, la manipulation et le mur du silence.

Auteurs: Gayle Rosellini et Mark Worden
Traduit par: Suzie Rochefort
Format 14 X 21,5 cm, 224 pages
Isbn: 2-89092-244-8

L'insatisfaction chronique

Qu'est-ce qui m'empêche de me sentir bien?

Oui, qu'est-ce qui fait qu'au-delà des contrariétés et des déceptions de ma vie de tous les jours, au-delà surtout de mes réussites et de mes succès, je me retrouve toujours plus et encore insatisfait, malheureux, misérable... L'insatisfaction chronique a peu de rapport avec ce que l'on est ou n'est pas ni avec ce que l'on a ou n'a pas. Elle a des racines plus profondes et ce sont elles qu'il faut reconnaître et déterrer afin de pouvoir s'en débarrasser.

Les auteurs ont mis au point des méthodes qui permettent d'en finir avec le besoin vital sous-jacent, non perçu et donc non contenté, qui se manifeste sous la forme d'un sentiment chronique d'insatisfaction et qui vous empoisonne la vie.

Grâce aux pistes de travail et aux exercices donnés, vous serez en mesure de vous libérer du cercle vicieux dans lequel vous avez vécu jusque-là et d'atteindre le contentement et l'estime de soi nécessaires pour que chaque vie prenne son sens.

AUTEURS: LAURIE ASHNER ET MITCH MEYERSON
TRADUIT PAR: LARRY COHEN
UN LIVRE HAZELDEN/DÉVELOPPEMENT PERSONNEL
FORMAT 15 X 23 CM, 304 PAGES
ISBN: 2-89092-261-8

Tirer profit
de son passé familial

Croissance personnelle
pour l'adulte qui a vécu
dans une famille alcoolique
ou dysfonctionnelle

Vous apprendrez à la lecture de ce livre:

- quelles sont les conséquences d'avoir grandi dans une famille alcoolique ou dysfonctionnelle;
- comment ce que vous avez appris, lorsque vous étiez enfant, continue d'affecter vos comportements, même encore aujourd'hui;
- comment reconnaître le bagage transmis par votre famille d'origine afin de commencer à mieux vous comprendre;
- à identifier le modèle de comportements que vous avez adopté, soit le Sauveur ou le Rampant, le Martyr ou l'Hyperactif, le Perfectionniste ou la Fleur de tapisserie, et ce que vous pouvez faire pour le changer;
- comment les habitudes et les comportements appris au cours de l'enfance contaminent vos relations amoureuses et tous vos autres liens affectifs; et
- comment prendre de saines décisions au sujet de vos comportements et de vos relations.

AUTEUR: EARNIE LARSEN
TRADUIT PAR: DENISE TURCOTTE ET SUZIE ROCHEFORT
FORMAT 15 X 23 CM, 160 PAGES
ISBN: 2-89092-219-7

Savoir
lâcher prise

Méditations quotidiennes

Dans cet ouvrage exceptionnel de méditations quotidiennes, l'auteure intègre ses propres expériences de vie et ses réflexions profondes sur la recouvrance; elle nous incite ainsi à comprendre notre propre processus de cheminement vers un rétablissement.

Melody Beattie revient aux éléments essentiels du cheminement pour vaincre la codépendance – nous permettre de ressentir toutes nos émotions, accepter notre impuissance et nous approprier notre pouvoir. Dans *Savoir lâcher prise*, elle met l'accent sur la nécessité de porter toute notre attention sur les principes de la recouvrance.

Les problèmes sont faits pour être résolus, nous rappelle-t-elle, et la meilleure chose que nous puissions faire, c'est d'assumer la responsabilité de notre souffrance et de notre préoccupation de soi. L'auteure nous guide en nous rappelant que chaque jour est une occasion de croissance et de renouveau.

AUTEURE: MELODY BEATTIE
TRADUIT PAR: CLAIRE STEIN
COLLECTION HAZELDEN/MÉDITATION
FORMAT 14 X 21,5 CM, 416 PAGES
ISBN: 2-89092-195-6

Bouillon de poulet
pour l'âme

Des histoires
qui réchauffent le cœur
et remontent le moral

 AUTEURS: JACK CANFIELD, MARK VICTOR HANSEN ET COLLABORATEURS